편입수학만을 위한 스킬편입수학교재

편입수학

적분학

skill-math

스킬편입수학
연구소

편입수학-적분학

발 행 | 2024년 2월 16일
저 자 | 스킬편입수학 연구소
펴낸이 | 한건희
펴낸곳 | 주식회사 부크크
출판사등록 | 2014.07.15.(제2014-16호)
주 소 | 서울특별시 금천구 가산디지털1로 119 SK트윈타워 A동 305호
전 화 | 1670-8316
이메일 | info@bookk.co.kr

ISBN | 979-11-410-7214-8

www.bookk.co.kr

<부정적분>

*적분 기본공식(적분상수 생략)

1) $\int a\,dx = ax$

2) $\int \dfrac{1}{x}dx = \ln|x|$

3) $\int \{f(x)\pm g(x)\pm h(x)\pm\cdots\}dx$
$= \int f(x)dx \pm \int g(x)dx \pm \int h(x)\pm\cdots$

4) $\int x^n dx = \dfrac{1}{n+1}x^{n+1}(n\neq -1)$

5) $\int e^x dx = e^x$

6) $\int a^x dx = \dfrac{a^x}{\ln a}$

7) $\int \dfrac{f'(x)}{f(x)}dx = \ln|f(x)|$

8) $\int \ln x\,dx = x\ln x - x$

9) $\int \dfrac{dx}{x\ln x} = \ln(\ln x)$

10) $\int \sin x\,dx = -\cos x$

11) $\int \cos x\,dx = \sin x$

12) $\int \tan x\,dx = -\ln\cos x = \ln\sec x$

13) $\int \csc x\,dx = \ln|\csc x - \cot x|$
$= -\ln|\csc x + \cot x|$

14) $\int \sec x\,dx = \ln|\sec x + \tan x|$

15) $\int \cot x\,dx = \ln\sin x$

16) $\int \sec^2 x\,dx = \tan x$

17) $\int \csc^2 x\,dx = -\cot x$

18) $\int \tan^2 x\,dx = \tan x - x$

19) $\int \cot^2 x\,dx = -\cot x - x$

20) $\int \sin^2 x\,dx = \dfrac{1}{2}\left(x - \dfrac{1}{2}\sin 2x\right)$

21) $\int \cos^2 x\,dx = \dfrac{1}{2}\left(x + \dfrac{1}{2}\sin 2x\right)$

22) $\int \sinh x\,dx = \cosh x$

23) $\int \cosh x\,dx = \sinh x$

24) $\int \tanh x\,dx = \ln\cosh x$

25) $\int \coth x\,dx = \ln\sinh x$

26) $\int \operatorname{sech}^2 x\,dx = \tanh x$

27) $\int \operatorname{csch}^2 x\,dx = -\coth x$

28) $\int e^{ax}\cdot\sin bx\,dx = \dfrac{e^{ax}}{a^2+b^2}(a\cdot\sin bx - b\cdot\cos bx)$

29) $\int e^{ax}\cdot\cos bx\,dx = \dfrac{e^{ax}}{a^2+b^2}(a\cdot\cos bx + b\cdot\sin bx)$

30) $\int \dfrac{1}{x^2-a^2}dx = \dfrac{1}{2a}\ln\left|\dfrac{x-a}{x+a}\right|$

31) $\int \dfrac{1}{a^2+x^2}dx = \dfrac{1}{a}\tan^{-1}\dfrac{x}{a}$

32) $\int \dfrac{1}{a^2-x^2}dx = \dfrac{1}{a}\tanh^{-1}\dfrac{x}{a} = \dfrac{1}{2a}\ln\left|\dfrac{a+x}{a-x}\right|$

33) $\int \dfrac{1}{1+x^2}dx = \tan^{-1}x$

34) $\int \dfrac{1}{\sqrt{1-x^2}}dx = \sin^{-1}x$

35) $\int \dfrac{1}{\sqrt{1+x^2}}dx = \sinh^{-1}x$

36) $\int \dfrac{1}{\sqrt{a^2-x^2}}dx = \sin^{-1}\dfrac{x}{a}$

37) $\int \dfrac{1}{\sqrt{a^2+x^2}}dx = \ln\left|x+\sqrt{x^2+a^2}\right| = \sinh^{-1}\dfrac{x}{a}$

38) $\int \dfrac{1}{\sqrt{x^2-a^2}}dx = \ln\left|x+\sqrt{x^2-a^2}\right| = \cosh^{-1}\dfrac{x}{a}$

Q. 적분하시오.(적분상수 생략)

1) $\displaystyle\int x^2 dx$

2) $\displaystyle\int x^{-3} dx$

3) $\displaystyle\int x^{\frac{7}{2}} dx$

4) $\displaystyle\int x^{-\frac{1}{2}} dx$

5) $\displaystyle\int \sqrt{x}\, dx$

6) $\displaystyle\int \frac{1}{x^2} dx$

7) $\displaystyle\int \frac{1}{\csc x} dx$

8) $\displaystyle\int \frac{1}{\sec x} dx$

9) $\displaystyle\int \frac{1}{\cos^2 x} dx$

10) $\displaystyle\int \frac{1+2\cos^2 x}{\cos^2 x}dx$

11) $\displaystyle\int \frac{x^3+1}{x^2}dx$

12) $\displaystyle\int \frac{1}{\mathrm{sech}x}dx$

13) $\displaystyle\int \frac{1}{\cosh^2 x}dx$

14) $\displaystyle\int \frac{1}{1-\sin^2 x}dx$

15) $\displaystyle\int \frac{\sinh^2 x}{1-\cosh x}dx$

16) $\displaystyle\int \frac{x^3}{x-1}dx - \int \frac{1}{x-1}dx$

17) $\displaystyle\int \frac{2x}{x+1}dx$ (＊ 분모의 미분이 분자에 그대로 있을 때 → ln(분모) "상수계수주의")

＊반각 공식

$$\cos^2 x = \frac{1+\cos 2x}{2} \qquad \sin^2 x = \frac{1-\cos 2x}{2}$$

＊배각 공식

$$\sin 2x = 2\sin x \cos x \qquad \cos 2x = \cos^2 x - \sin^2 x$$

＊합차 공식

$$\sin(\alpha \pm \beta) = \sin\alpha\cos\beta \pm \cos\alpha\sin\beta$$

$$\cos(\alpha \pm \beta) = \cos\alpha\cos\beta \mp \sin\alpha\sin\beta$$

$$\tan(\alpha \pm \beta) = \frac{\tan\alpha \pm \tan\beta}{1 \mp \tan\alpha\tan\beta}$$

＊곱 → 합차 공식

$$\sin\alpha\cos\beta = \frac{1}{2}\left[\sin(\alpha+\beta) + \sin(\alpha-\beta)\right]$$

$$\sin\alpha\sin\beta = -\frac{1}{2}\left[\cos(\alpha+\beta) - \cos(\alpha-\beta)\right]$$

$$\cos\alpha\cos\beta = \frac{1}{2}\left[\cos(\alpha+\beta) + \cos(\alpha-\beta)\right]$$

<연습 문제>

1) $\displaystyle\int \sin^2\frac{x}{2}\,dx$

2) $\displaystyle\int \cos^2 x\,dx$

3) $\displaystyle\int \tan^2 x\,dx$

4) $\displaystyle\int \sqrt{1+\cos 2x}\,dx$

5) $\displaystyle\int \cos 4x \cos 2x\,dx$

<치환 적분법>

1) $\displaystyle \int x\cos{(x^2+1)}dx$

2) $\displaystyle \int \frac{(\sin^{-1}x)^2}{\sqrt{1-x^2}}dx$

3) $\displaystyle \int \tan^4 x\sec^2 x\,dx$

4) $\displaystyle \int \frac{\tan^{-1}x}{1+x^2}dx$

5) $\displaystyle \int \frac{1}{x\ln x}dx$ (*분모의 미분이 분자에 그대로 있을 때 → $\ln$(분모) "상수계수주의")

6) $\int \dfrac{(\ln x)^2}{x}\,dx$

7) $\int \dfrac{x}{e^{x^2}}\,dx$

8) $\int e^{\tan x}\sec^2 x\,dx$

9) $\int \dfrac{\cos \frac{1}{x}}{x^2}\,dx$

10) $\int \dfrac{1}{\sqrt{x}\,(1+\sqrt{x}\,)^2}\,dx$

11) $\int x\sin(x^2)\,dx$

12) $\displaystyle\int x\sin(x^2)\cos(x^2)dx$

13) $\displaystyle\int \frac{x^2}{\sqrt{1-x^6}}dx$

14) $\displaystyle\int \frac{\cos x}{3+\sin x}dx$

15) $\displaystyle\int \frac{\sec^2 x}{\tan x}dx$

16) $\displaystyle\int \frac{x^2}{3+x^3}dx$ ("상수계수주의")

17) $\displaystyle\int \frac{x}{2+x^2}dx$

18) $\displaystyle\int \frac{e^{2x}}{e^{2x}+9}dx$

19) $\int \dfrac{x}{\sqrt{1-x^2}}\,dx$ ($\sqrt{}$ 속 미분 모양이 밖에 있을때는 $\sqrt{}$ 전체를 t로 치환)

20) $\int \dfrac{\cos x}{\sqrt{\sin x+1}}\,dx$

21) $\int x\sqrt{1-x^2}\,dx$

22) $\int \sin x\sqrt{\cos x+1}\,dx$

23) $\int \sin(5x)\,dx$

*기본함수의 독립변수에 상수 곱이 되어있을 때, 그대로 적분하고 $\dfrac{1}{\text{상수}}$ 를 곱한다.

24) $\int e^{-2x}\,dx$

25) $\displaystyle\int \sec^2 5x\, dx$

26) $\displaystyle\int \cos\left(\dfrac{x}{3}\right) dx$

27) $\displaystyle\int \tan x\, dx$

28) $\displaystyle\int \cot x\, dx$

29) $\displaystyle\int \sec x\, dx$

30) $\displaystyle\int \csc x\, dx$

31) $\displaystyle\int \sin^3 x \cdot \cos^2 x\, dx$

32) $\displaystyle\int \frac{\cos(\tan^{-1}x)}{1+x^2}dx$

33) $\displaystyle\int \frac{\sec^2(\ln x)}{x}dx$

<삼각치환법>

$\sin^2 x + \cos^2 x = 1$ $\quad\rightarrow$	$\cos^2 x = 1 - \sin^2 x$
$1 + \tan^2 x = \sec^2 x$	$\sec^2 x = 1 + \tan^2 x$
	$\tan^2 x = \sec^2 x - 1$

1) $\quad a^2 - x^2$ 꼴

$x = a\sin\theta$
$a^2 - a^2\sin^2\theta = a^2\cos^2\theta$
$dx = a\cos\theta d\theta$

2) $\quad x^2 - a^2$ 꼴

$x = a\sec\theta$
$a^2\sec^2\theta - a^2 = a^2\tan^2\theta$
$dx = a\sec\theta\tan\theta\, d\theta$

3) $\quad x^2 + a^2$ 꼴

$x = a\tan\theta$
$a^2\tan^2\theta + a^2 = a^2\sec^2\theta$
$dx = a\sec^2\theta\, d\theta$

Q. 적분하시오.(적분상수 생략)

1) $\displaystyle\int \frac{1}{\sqrt{a^2-x^2}}\,dx$

2) $\displaystyle\int \frac{1}{a^2+x^2}\,dx$

$*\displaystyle\int \frac{1}{a^2+x^2}\,dx = \frac{1}{a}\tan^{-1}\frac{x}{a}$

3) $\displaystyle\int \frac{1}{a^2x^2+b^2}\,dx$

4) $\displaystyle\int \frac{1}{x^2\sqrt{x^2-9}}\,dx$

5) $\displaystyle\int \frac{1}{\sqrt{x^2+9}}dx$

6) $\displaystyle\int \frac{1}{(9-x^2)^{\frac{3}{2}}}dx$

7) $\displaystyle\int \frac{1}{(4+x^2)^2}dx$

8) $\displaystyle\int \sqrt{a^2 - x^2}\, dx$

9) $\displaystyle\int \frac{\sqrt{x^2 - 9}}{x}\, dx$

<인수 분해되지 않는 유리함수 적분 (인수분해→부분함수로 쪼개서 적분)>
−삼각치환법

1) $\displaystyle\int \frac{1}{x^2 + 2x + 5}\, dx$

2) $\displaystyle\int \frac{1}{x^2 - 4x + 13} dx$

3) $\displaystyle\int \frac{1}{2x^2 - 4x + 8} dx$

4) $\displaystyle\int \frac{x+3}{x^2 - 2x + 3} dx$

근호안에 2차식인 무리함수의 적분
(근호 안이 1차 일때는 근호전체를 t로 치환한다. 나머지 변수를 모두 t로 바꾸어 적분)

1) $\int \dfrac{1}{\sqrt{x^2+2x+5}}\,dx$

2) $\int \dfrac{1}{\sqrt{x^2-9x}}\,dx$

< 부분적분법 >

*그적미적, 적그적미

그적 $-\int$ 미적, 적그 $-\int$ 적미

1) $\int \tan^{-1} x\,dx$

2) $\displaystyle\int x \tan^{-1}x\, dx$

3) $\displaystyle\int \sin^{-1}x\, dx$

4) $\displaystyle\int \sinh^{-1}x\, dx$

5) $\displaystyle\int \tanh^{-1}x\, dx$

6) $\displaystyle\int \ln x\, dx$

7) $\int (\ln x)^2 dx$

8) $\int x^2 \ln x \, dx$

9) $\int x \ln(x^2 + 1) dx$

10) $\int \sin(\ln x) \, dx$

$$* \int e^{ax}\sin bx\,dx = \frac{e^{ax}}{a^2+b^2}(a\sin bx - b\cos bx)$$

$$\int e^{ax}\cos bx\,dx = \frac{e^{ax}}{a^2+b^2}(a\cos bx + b\sin bx)$$

11) $\int e^x \sin x\,dx$

12) $\int e^{2x}\sin^2 x\,dx$

13) $\int \sec^3 x\,dx$

$= \sec x\tan x - \int \sec x\tan^2 x\,dx$

$= \sec x\tan x - \int \sec^3 x\,dx + \int \sec x\,dx$

$A = \sec x\tan x - A + \ln(\sec x + \tan x)$

$A = \dfrac{1}{2}(\sec x\tan x + \ln(\sec x + \tan x))$

14) $\int \dfrac{x^2}{e^x}\,dx$

15) $\int x\cos 3x\,dx$

16) $\int x\sin x\cos x\,dx$

< 유 리 함 수 적 분 법 >

---

i) 분모가 인수분해 될때(1차식으로 완전분해 되는 경우)

유형1) $\int \dfrac{2x+5}{x^2-3x+2}dx$

ii) 분모가 1차식으로 분해되지 않을 때

유형 2) $\displaystyle\int \frac{2x-1}{(x+1)(x-2)^2}\,dx$

유형 3) $\displaystyle\int \frac{3x-1}{(x-1)(x^2+9)}\,dx$

1) $\displaystyle\int \frac{1}{x^2-a^2}\,dx = \frac{1}{2a}\ln\left(\frac{x-a}{x+a}\right)$

2) $\displaystyle\int \frac{8x-3}{x^2-x}\,dx$

3) $\displaystyle\int \frac{x}{x^2+3x+2}\,dx$

4) $\displaystyle\int \frac{3x-1}{x^3-2x^2+x}\,dx$

5) $\displaystyle\int \frac{2x^2 + x - 4}{x^3 - x^2 - 2x}\,dx$

6) $\displaystyle\int \frac{4x}{(x^2 - 1)(x + 1)}\,dx$

7) $\displaystyle\int \frac{4x^2 + x - 8}{(x + 1)(x^2 + 4)}\,dx$

8) $\displaystyle\int \frac{4x+1}{x^3+x}\,dx$

< 무리함수적분법 >
i) 근호안이 2차식 : 완전제곱으로 고쳐서 삼각치환
ii) 근호안이 1차식 : 근호전체를 t로 치환

---

1) $\displaystyle\int \frac{e^{\sqrt{x}}}{\sqrt{x}}\,dx$

2) $\displaystyle\int \frac{1}{\sqrt{x}+x}\,dx$

3) $\displaystyle\int \frac{1}{\sqrt{x}\,(1+\sqrt{x}\,)^2}\,dx$

4) $\displaystyle\int (1+x)\sqrt{1-x}\,dx$

---

* $\displaystyle\int f(x, \sqrt[n]{ax+b}, \sqrt[m]{ax+b})dx$ 형태

→m, n의 최소공배수 k를 구하여 $\sqrt[k]{ax+b} = t$ 치환한다.

---

1) $\displaystyle\int \frac{\sqrt[4]{x}}{1+\sqrt{x}}\,dx$

2) $\displaystyle\int \frac{1}{x^{\frac{5}{6}} + x^{\frac{1}{2}}}\,dx$

< 지수함수적분법 >

1) $\displaystyle \int \frac{2}{e^x + 2} dx$

2) $\displaystyle \int \frac{1}{e^x + e^{-x}} dx$

3) $\displaystyle \int \frac{e^{3x}}{1 + e^{2x}} dx$

4) $\displaystyle \int e^{2x} \sinh x \, dx$

<쌍곡선함수 적분법>

1) $\displaystyle \int \cosh x \, dx$

2) $\displaystyle \int \operatorname{sech}^2 x \, dx$

< 지수함수적분법 >

3) $\int \tanh x\, dx$

4) $\int \text{sech} x\, dx$

5) $\int \text{csch} x\, dx$

6) $\int \dfrac{1}{1+\sinh^2 x}\, dx$

< 여러가지 적분법 >

① $\int$ 유리식 $f(x, \sin x, \cos x)\, dx$

$t = \tan \dfrac{x}{2}$ 로 치환, $\tan^{-1} t = \dfrac{x}{2} \Rightarrow dx = \dfrac{2}{1+t^2}\, dt$

$\rightarrow \sin \dfrac{x}{2} = \dfrac{t}{\sqrt{1+t^2}}$, $\cos \dfrac{x}{2} = \dfrac{1}{\sqrt{1+t^2}}$

$\Rightarrow \sin x = 2\sin \dfrac{x}{2}\cos \dfrac{x}{2} = \dfrac{2t}{1+t^2}$

$\cos x = \cos^2 \dfrac{x}{2} - \sin^2 \dfrac{x}{2} = \dfrac{1-t^2}{1+t^2}$

1) $\displaystyle\int \frac{1}{1+\cos x}dx$

2) $\displaystyle\int \frac{\sin x}{1-\sin x}dx$

3) $\displaystyle\int \frac{1}{4+5\cos x}dx$

② $\int$ 유리식 $f(x, \tan x)dx$

$\tan x = t$

$x = \tan^{-1}t$

$dx = \dfrac{1}{1+t^2}dt$

1) $\displaystyle\int \frac{2}{1+\tan x}dx$

③ 2차이상의 삼각함수

$\sin x, \cos x$의 짝수승 : 반각공식

홀수승 : 1승 빼내고 나머지 제곱공식으로 변형후 치환적분

1) $\displaystyle\int \sin^2 x\, dx$

2) $\displaystyle\int \cos 2x \cos^2 x\, dx$

3) $\displaystyle\int \cos^4 x \, dx$

4) $\displaystyle\int \sin^3 x \, dx$

5) $\displaystyle\int \cos^5 x \, dx$

④ $\tan x$의 멱승형태

1) $\displaystyle\int \tan x \, dx$

2) $\int \tan^2 x \, dx$

3) $\int \tan^3 x \, dx$

4) $\int \tan^4 x \, dx$

⑤ $\sec x$의 멱승형태

1) $\int \sec x \, dx$

2) $\int \sec^2 x \, dx$

3) $\int \sec^3 x\, dx$

4) $\int \sec^4 x\, dx$

5) $\int \tan^3 x \sec^4 x\, dx$

<정적분>

* 정적분의 성질

함수 $f(x)$가 폐구간 $[a,b]$에서 연속이고 $F'(x)=f(x)$이면

$$\int_a^b f(x)dx = \left[F(x)\right]_a^b = F(b)-F(a) \text{ 로 나타낸다.}$$

① $\displaystyle\int_a^b f(x)dx = -\int_b^a f(x)\,dx$

② $\displaystyle\int_a^b kf(x)dx = k\int_a^b f(x)dx$

③ $\displaystyle\int_a^b \{f(x)\pm g(x)\}dx = \int_a^b f(x)dx \pm \int_a^b g(x)dx$

④ $\displaystyle\int_a^b f(x)dx = \int_a^b f(t)dt = \int_a^b f(s)ds$: 적분구간이 같고 함수형태가 같으면 정적분의 값은 같다.

⑤ $\displaystyle\int_a^a f(x)dx = 0$

⑥ $\displaystyle\int_a^c f(x)dx = \int_a^b f(x)dx + \int_b^c f(x)dx$ (단, $a \leq b \leq c$)

⑦ $\displaystyle\int_{-a}^a f(x)dx = \int_0^a \{f(-x)+f(x)\}dx = \begin{cases} 2\displaystyle\int_0^a f(x)dx & : f(x)가 \ 우함수 \\ \ \ 0 & : f(x)가 \ 기함수 \end{cases}$

⑧ $|f(x)|$도 적분이 가능하면, $\left|\displaystyle\int_a^b f(x)dx\right| \leq \int_a^b |f(x)|\,dx$가 성립한다.

---

*우함수와 기함수

1) 기함수(원점 대칭): $f(x) = -f(-x)$

  기함수: $x^{2n+1}, \sin x, \tan x, \sinh x, \tanh x$ 등 (n은 정수)

  기함수의 도함수는 우함수

  성질: $\displaystyle\int_{-a}^{a} 기\, dx = 0$

2) 우함수(y축 대칭): $f(x) = f(-x)$

  우함수의 도함수는 기함수

  우함수: $x^{2n}, |x|, \cos x, \sec x, \cosh x, \operatorname{sech}x,$ 상수 등 (n은 정수)

  성질: $\displaystyle\int_{-a}^{a} 우\, dx = 2\int_{0}^{a} 우\, dx$

우×우=우	우/우=우	우+우=우
기×기=우	기/기=우	기+기=기
우×기=기	우/기=기	

1) $\displaystyle\int_{-1}^{1} \frac{\tan^{-1}x}{9+x^2+x^4}\,dx$

2) $\displaystyle\int_{-\frac{1}{5}}^{\frac{1}{5}} x^3 \cos 5x \, dx$

3) $\displaystyle\int_{-1}^{1} (x^9 + \tan^{-1}x + \sin 6x + x^{101})\,dx$

부정적분: $\displaystyle\int f(x)dx = F(x) + C$

정적분: $\displaystyle\int_a^b f(x)dx = \left[\,F(x)\,\right]_a^b = F(b) - F(a)$

1) $\displaystyle\int_1^2 x^3\,dx$

2) $\displaystyle\int_0^{\ln2} e^{-x}\,dx$

3) $\displaystyle\int_0^{\frac{\pi}{4}} \sin2x\cos^4x\,dx$

4) $\displaystyle\int_0^{\frac{\pi}{4}} \sqrt{1+\cos4x}\,dx$

5) $\displaystyle\int_0^1 \frac{1}{1+\sinh^2x}\,dx$

6) $\displaystyle\int_0^{2\pi} |\sin x|\, dx$

7) $\displaystyle\int_{e^2}^{e^4} \frac{1}{x\ln x}\, dx$

8) $\displaystyle\int_0^1 \frac{\tan^{-1}x}{1+x^2}\, dx$

9) $\displaystyle\int_0^1 x\sin(x^2+1)\, dx$

10) $\displaystyle\int_0^1 \frac{1}{(1+x^2)^2}\, dx$

11) $\displaystyle\int_0^2 \frac{1}{x^2+2x+4}\,dx$

12) $\displaystyle\int_0^{\frac{\pi}{2}} \frac{1}{\sqrt{1+\sec^2\theta}}\,d\theta$

13) $\displaystyle\int_1^2 xe^{2x}\,dx$

14) $\displaystyle\int_1^2 x\ln x\,dx$

15) $\displaystyle\int_2^4 \frac{x}{x^2+3x+2}\,dx$

16) $\displaystyle\int_0^1 \dfrac{1}{(x+2)(x+3)^2}\,dx$

17) $\displaystyle\int_0^1 (1+x)\,\sqrt{1-x}\,dx$

18) $\displaystyle\int_0^{16} \dfrac{\sqrt[4]{x}}{1+\sqrt{x}}\,dx$

19) $\displaystyle\int_0^{2\pi} \cos 2x \cos^2 x\,dx$

20) $\displaystyle\int_1^{\sqrt{2}} \dfrac{1}{x^2\sqrt{x^2-1}}\,dx$

21) 정적분 $\displaystyle\int_{\frac{\pi}{2}}^{\pi} \sqrt{1-\cos x}\,dx$ 의 값은?

① $\dfrac{1}{2}$ ② 1 ③ $\dfrac{2}{3}$ ④ 2 ⑤ $\dfrac{3}{2}$

*Ans.*④

22) 정적분 $\displaystyle\int_{0}^{1} \dfrac{x+1}{(x^2+1)^2}\,dx$ 의 값은?

① $\dfrac{1}{4}$ ② $\dfrac{1}{2}$ ③ $\dfrac{\pi}{8}+\dfrac{1}{4}$ ④ $\dfrac{\pi}{8}+\dfrac{1}{2}$ ⑤ $\dfrac{\pi}{4}+\dfrac{1}{2}$

*Ans.*④

23) $\displaystyle\int_{1}^{3} \left| x^2 - 2x \right|\,dx$

*Ans.*2

24) $\displaystyle\int_{0}^{2\pi} \left| \sin\left(x+\dfrac{\pi}{6}\right) \right|\,dx$

*Ans.*4

25) 정적분 $\int_0^{\frac{\pi}{3}} \sec^3 x dx$의 값은?

① $\sqrt{3} + \frac{1}{2}\ln(2 - \sqrt{3})$ ② $\sqrt{3} + \ln(1 + \sqrt{3})$③ $\sqrt{3} + \ln(2 + \sqrt{3})$ ④ $\sqrt{3} + \frac{1}{2}\ln(1 + \sqrt{3})$

⑤ $\sqrt{3} + \frac{1}{2}\ln(2 + \sqrt{3})$

$Ans.$⑤

< $Wallis$ 공식 >

형태 : $\int_0^{\frac{\pi}{2}} \sin^n x dx$ ($\int_0^{\frac{\pi}{2}} \cos^n x dx$) (단, n은 자연수)

→ n = 짝수 일 때 : $\dfrac{n-1}{n}\dfrac{n-3}{n-2}\cdots\dfrac{1}{2}\dfrac{\pi}{2}$

n = 홀수 일 때 : $\dfrac{n-1}{n}\dfrac{n-3}{n-2}\cdots\dfrac{2}{3}$

$\int_0^{\frac{k\pi}{2}} \sin^n x dx = k\int_0^{\frac{\pi}{2}} \sin^n x dx$ (단, n은 짝수, k는 정수)

$\int_0^{\frac{k\pi}{2}} \cos^n x dx = k\int_0^{\frac{\pi}{2}} \cos^n x dx$ (단, n은 짝수, k는 정수)

1) $\displaystyle\int_0^{\frac{\pi}{2}} \sin^{100}x\, dx$

2) $\displaystyle\int_0^{\frac{\pi}{2}} \cos^6 x\, dx$

3) $\displaystyle\int_0^{\frac{\pi}{2}} \sin^5 x\, dx$

4) $\displaystyle\int_0^{\frac{\pi}{2}} \sin^3 x\, dx$

5) $\displaystyle\int_0^{\frac{\pi}{2}} \sin^2 x \cos^4 x\, dx$

6) $\displaystyle\int_0^{\frac{\pi}{2}} \sin^2 x\, dx$

$* \displaystyle\int_0^\pi \sin^n x\, dx = 2\int_0^{\frac{\pi}{2}} \sin^n x\, dx$ 　　　　$Graph.$

7) $\displaystyle\int_0^{3\pi} \sin^3 x\, dx$

8) $\displaystyle\int_0^{\frac{\pi}{2}} \sin^8 x\, dx$

9) $\displaystyle\int_0^\pi \sin^6 x\, dx$

10) $\displaystyle\int_0^{\frac{\pi}{2}} \sin^7 x\, dx$

11) $\displaystyle\int_{\frac{\pi}{2}}^{\frac{3\pi}{2}} \cos^5 x\, dx$

12) $\displaystyle\int_0^\pi \sin^7 x\, dx$

< 역함수 적분 >

---

1) $f(x) = x^3 + 2x + 1$의 역함수를 $g(x)$라 할 때 $\displaystyle\int_0^1 f(x)\, dx + \int_1^4 g(x)\, dx = ?$

$Ans. 4$

2) 구간 $[2,5]$에서 일대일, 연속인 함수 $f(x)$가 $f(2)=1, f(5)=3$

$\int_2^5 f(x)dx = 4$ 일 때, $\int_1^3 f^{-1}(x)dx = ?$

*Ans.*9

3) $\int_{-\frac{\sqrt{3}}{2}}^{\frac{\sqrt{3}}{2}} \cos^{-1}x\,dx$

4) $\int_0^{\frac{1}{2}} \cos^{-1}x\,dx$

5) $\int_0^1 \tan^{-1}x\,dx$

< 여러가지 적분 >

1) $\displaystyle\sum_{n=1}^{100}\int_{\frac{1}{2n}}^{1}\frac{\pi}{x^2}\sin\left(\frac{\pi}{x}\right)dx$

* 정적분 = 상수

2) $f(x)=x\cos x+\displaystyle\int_{0}^{\frac{\pi}{2}}f(x)dx$를 만족시킬 때, $f(x)=?$

3) f가 $f^{'}(x) = \dfrac{\cos x}{x}$ 이고 $f\left(\dfrac{\pi}{2}\right) = 1$, $f\left(\dfrac{3\pi}{2}\right) = -1$ 일 때 $\displaystyle\int_{\frac{\pi}{2}}^{\frac{3\pi}{2}} f(x)dx = ?$

4) 구간 $[1,10]$에서 정의된 함수 $f(x)$는 $f^{'}(x) = \dfrac{\ln x}{x^2}$, $e^2 f(e^2) = ef(e) - 1$을 만족한다. 정적분 $-100\displaystyle\int_{e}^{e^2} f(x)dx$의 값은?

*Ans.*250

* 더미변수

5) f가 i) $f(t+\ln 2)=f(t)$

ii) $\displaystyle\int_0^{\ln 2} e^{-t}f(t)dt=1$ 일 때, $\displaystyle\int_0^{\infty} e^{-t}f(t)dt=?$

Ans. 2

6) 정적분 $\displaystyle\int_0^{\frac{\pi}{2}} \sum_{k=1}^{100} \frac{\sin^k x}{\sin^k x + \cos^k x}dx$ 의 값은?

① 25π ② 50π ③ 100π ④ 125π ⑤ 150π

Ans. ①

7) f가 닫힌구간 $[0,1]$에서 연속함수 일 때, 적분 $\int_0^1 \dfrac{\sin x}{\sin x + \sin(1-x)}dx$ 의 값을 구하시오.

① $\dfrac{3}{2}$ ② $\dfrac{5}{4}$ ③ 1 ④ $\dfrac{3}{4}$ ⑤ $\dfrac{1}{2}$

*Ans.*⑤

8) 적분 $\int_0^{\frac{\pi}{2}} \dfrac{\sqrt{\tan^3 x}}{\sqrt{\tan^3 x} + \sqrt{\cot^3 x}}dx$의 값은?

① 1 ② 2 ③ $\dfrac{\pi}{4}$ ④ $\dfrac{\pi}{3}$ ⑤ $\dfrac{\pi}{2}$

*Ans.*③

9) $a_n = \int_0^{\frac{\pi}{4}} \tan^n x \, dx$ 라 할 때, $a_{2016} + a_{2018}$ 의 값은?

① $\dfrac{1}{2018}$ ② $\dfrac{1}{2017}$ ③ $\dfrac{3}{2018}$ ④ $\dfrac{3}{2017}$ ⑤ $\dfrac{2017}{2018}$

Ans. ②

10) 적분 $I_n = \int_0^{\frac{\pi}{4}} \tan^n x \, dx$ 에 대하여, $I_7 + I_9$ 의 값은?

① $\dfrac{1}{4}$ ② $\dfrac{1}{7}$ ③ $\dfrac{1}{8}$ ④ $\dfrac{1}{16}$

Ans. ③

11) 등식 $\int_0^\pi xf(\sin x)dx = \dfrac{\pi}{2}\int_0^\pi f(\sin x)dx$ 을 이용하여 정적분 $\int_0^\pi \dfrac{4x\sin x}{2-\sin^2 x}dx$의 값을 구하면?

① $-2\pi^2$ ② $-\pi^2$ ③ 0 ④ π^2 ⑤ $2\pi^2$

$Ans.$④

12) $f(1)=1, f(4)=0, f^{'}(4)=4, f^{'}(1)=3$이고 $f^{''}$이 연속 일 때, 정적분 $\int_1^4 xf^{''}(x)dx$의 값은?

① 12 ② 13 ③ 14 ④ 15 ⑤ 16

$Ans.$③

13) $f(x)=x^2$에 대해 분할 $P=\left\{0,\dfrac{1}{4},\dfrac{1}{2},1\right\}$일 때, 상합과 하합은?

$Ans.$ $U(f)=\dfrac{37}{64}, L(f)=\dfrac{9}{64}$

14) $f(x) = \sin \pi x$ 에 대해 분할 $P = \left\{ 0, \dfrac{1}{4}, \dfrac{1}{2}, 1, 2 \right\}$ 일 때, 상합과 하합은?

$Ans.\ U(f) = \dfrac{6 + \sqrt{2}}{8},\ L(f) = \dfrac{-8 + \sqrt{2}}{8}$

15) $a \le b$ 인 실수에서 $\displaystyle\int_a^b (x - x^2)dx$ 가 최대가 되는 a, b 는?

16) $\displaystyle\int_{2-a}^{2} f(x)dx = \int_{2}^{2+a} f(x)dx$ 인 관계를 만족하지 않는 것은? $(a \ge 0)$

① $f(x) = 2$

② $f(x) = |x - 2|$

③ $f(x) = (x-2)^2$

④ $f(x) = (x-2)^3$

< 정적분과 도함수 >

$$\int f(t)dt = F(t)$$

$$\frac{d}{dx}\int_{h(x)}^{g(x)} f(t)dt = f(g(x))g^{'}(x) - f(h(x))h^{'}(x)$$

---

1) $f(x) = \displaystyle\int_{2}^{x^2} \ln(2t)dt$ 일 때 $f^{'}(x) = ?$

$Ans.\ 2x\ln(2x^2)$

10성균

2) $f(x) = \displaystyle\int_{0}^{x^5+x} \sin(e^t)dt$ 의 $f^{'}(0)$ 은?

$Ans.\ \sin 1$

3) $y = \displaystyle\int_{x^2}^{\frac{\pi}{2}} \frac{\sin t}{t}dt$ 일 때, $y^{'} = ?$

$Ans.\ \dfrac{-2\sin(x^2)}{x}$

4) $g(x) = \displaystyle\int_0^{x^2} \dfrac{1}{1+\sqrt{t}}\, dt$ 일 때, $g'(2) = ?$

$Ans.\ \dfrac{4}{3}$

5) $f(x) = \displaystyle\int_0^{g(x)} \dfrac{1}{\sqrt{1+t^3}}\, dt,\ g(x) = \displaystyle\int_0^{\cos x} (1+\sin(t^2))dt$ 일 때, $f'\!\left(\dfrac{\pi}{2}\right) = ?$

$Ans.\ -1$

6) $\displaystyle\int_0^{x^2} f(t)dt = x\cos(\pi x)$ 를 만족할 때, $f(4) = ?$

$Ans.\ \dfrac{1}{4}$

7) $x > 0,\ 6 + \displaystyle\int_a^x \frac{f(t)}{t^2}\,dt = 2\sqrt{x}$ 일 때, a와 $f(t) = ?$

$Ans.\ a = 9,\ f(t) = t^{\frac{3}{2}}$

8) $H(x) = 3 - \displaystyle\int_{\sqrt{x}}^{2\sqrt{x}} e^{-t^2}\,dt\ (x \ge 0)$가 최솟값을 갖는 x는?

$Ans.\ \dfrac{\ln 2}{3}$

9) $H(x) = \dfrac{1}{x}\displaystyle\int_3^x (2t - 3H'(t))\,dt$일 때 $H'(3) = ?$

$Ans.\ 1$

10) $x \geq 0, \ g'(x) < 0$ 일 때 $F(x) = \int_0^x tg'(t)dt$에 대해 옳지 않은 것은?

① $F(0) = 0$
② $F(1) < F(2)$
③ $F(1) < 0$
④ $F(2) > F(3)$

Ans. ②

11) $F(x) = \int_1^x f(t)dt, \ f(t) = \int_1^{t^2} \frac{\sqrt{1+u}}{u} du$ 일 때, $F''(2) = ?$

Ans. $\sqrt{5}$

12) $x = \int_0^y \frac{1}{\sqrt{1+t^2}} dt, \ \dfrac{d^2y}{dx^2} = ?$

Ans. y

13) f의 역함수 g가 $g(1)=2$, $f^{'}(2)=\dfrac{1}{3}$ 일 때 $F(x)=e^x\displaystyle\int_1^x g(t)dt$의 $F^{''}(1)=?$

Ans. $7e$

14) $\dfrac{d}{dx}\displaystyle\int_1^x (x-t)f(t)dt$를 구하라.

15) $f(x)=\displaystyle\int_0^x (x-t)\ln(1+t^4)dt$ 일때, $f^{''}(0)=?$

Ans. 0

16) 함수 $f(x) = \displaystyle\int_{1+4x}^{1-4x} (1 - t^2\sqrt{1+3t^4})\,dt$ 일 때, $f'(0)$ 의 값은?

① -8 ② -4 ③ 0 ④ 4 ⑤ 8

Ans. ⑤

라이프니츠정리 (피적분함수에 문자가 섞여 있어 빼내기 힘들 때)

$$\frac{d}{dx}\int_{g(x)}^{h(x)} f(t,x)\,dt = f(h(x),x)h'(x) - f(g(x),x)g'(x) + \int_{g(x)}^{h(x)} \frac{\partial}{\partial x}f(t,x)\,dt$$

---

1) 함수 $f(x) = \displaystyle\int_{0}^{x^2+x-2} \sqrt{x+t^2}\,dt$ 일 때, $f'(1)$ 의 값은?

① 0 ② 1 ③ 2 ④ 3 ⑤ 4

Ans. ④

2) $f(x) = \displaystyle\int_0^{x^2} \sin(xt)dt$의 미분 $f^{'}(1)$의 값은?

$Ans.\ \cos 1 + 3\sin 1 - 1$

3) 함수 $f(t) = \displaystyle\int_0^{t^2} e^s \sin(t^2 - s)ds$에 대하여 $f^{'}\!\left(\dfrac{\sqrt{\pi}}{2}\right)$의 값은?

$Ans.\ \dfrac{\sqrt{\pi}}{2}e^{\frac{\pi}{4}}$

21건국

4) $f(x) = \displaystyle\int_1^{x^2} \sin(x+t^2)\,dt$ 일 때, $f'(1)$의 값은?

① 0 ② $\sin 1$ ③ $2\sin 1$ ④ $\sin 2$ ⑤ $2\sin 2$

*Ans.*⑤

5) 연속함수 f에 대하여 $g(x) = \displaystyle\int_{-1}^{1} f(t)\,|x-t|\,dt$ 라고 하자. $-1 < x < 1$ 일 때, $g''(x)$를 구하시오.

① $2f(x)$ ② $\dfrac{5}{2}f(x)$ ③ $3f(x)$ ④ $\dfrac{7}{2}f(x)$ ⑤ $4f(x)$

*Ans.*①

6) $0 < x < \dfrac{\pi}{2}$에 대하여 $f(x) = \displaystyle\int_{2x}^{3x} \dfrac{1}{\sin(t-x)}\,dt$일 때, $f'\left(\dfrac{\pi}{6}\right)$의 값은?

Ans. $\dfrac{4}{3}\sqrt{3} - 2$

7) 함수 $f(x) = \int_{-\sin^{-1}\sqrt{x}}^{\sin^{-1}\sqrt{x}} \sin\sqrt{|t|}\, dt \left(0 \le x \le \dfrac{\pi}{2}\right)$ 에 대하여 $f'\left(\dfrac{1}{2}\right)$ 의 값은?

① $\sin\dfrac{\sqrt{\pi}}{2}$　② $\sqrt{2}\sin\dfrac{\sqrt{\pi}}{2}$　③ $2\sin\dfrac{\sqrt{\pi}}{2}$　④ $2\sqrt{2}\sin\dfrac{\sqrt{\pi}}{2}$

Ans. ③

8) 함수 $f(x) = \int_{0}^{x^2} (1-t)\sqrt{1-4t^2}\, dt$ 의 최댓값을 구하면?

① $\dfrac{1}{8}\left(\pi - \dfrac{1}{3}\right)$　　② $\dfrac{1}{8}\left(\pi - \dfrac{2}{3}\right)$　　③ $\dfrac{1}{8}(\pi - 1)$　　④ $\dfrac{1}{8}\left(\pi - \dfrac{4}{3}\right)$　　⑤ $\dfrac{1}{8}\left(\pi - \dfrac{5}{3}\right)$

Ans. ②

< 정적분과 극한 >

1) $\displaystyle\lim_{x \to 0} \dfrac{\displaystyle\int_0^x e^{t^2}dt}{x}$

2) $\displaystyle\lim_{x \to 0} \dfrac{1}{x^3}\int_0^x \sin(t^2)dt$

3) $\displaystyle\lim_{x \to 1} \dfrac{\displaystyle\int_1^{x^3}\left(\sin\dfrac{\pi}{2}t + e^t\right)dt}{x^3 - 1}$

4) $\displaystyle\lim_{x \to 0} \dfrac{\displaystyle\int_0^x (1 + \sin 2t)^{\frac{1}{t}}dt}{x}$

5) $\lim\limits_{x\to\infty} \dfrac{\displaystyle\int_0^{x^2}\sqrt{1+2t^3}\,dt}{x^5}$

6) $g(x)=\cos(x^2),\ F(x)=\displaystyle\int_1^x (x-t)g(t)dt$ 일 때, $\lim\limits_{h\to 0}\dfrac{F(2+h)-2F(2)+F(2-h)}{h^2}=\,?$

$Ans.\ \cos 4$

16건대

7) $\lim\limits_{x\to 0^-}\dfrac{1}{x}\displaystyle\int_x^{2x}\dfrac{2+\sin t}{t}dt$ 의 값은?

① $\ln 2$ ② 1 ③ 2 ④ 5 ⑤ ∞

$Ans.\ ②$

추가문제

중앙대

$$\lim_{x \to 0} \frac{1}{x^2} \int_{-x^2}^{x^2} \frac{\sin t}{t} dt \text{ 의 값은?}$$

Ans. 2

16서강

극한 $\displaystyle \lim_{x \to 0} \frac{1}{x^3} \int_{x^2}^{x} \sin(2t^2) dt$ 의 값은?

① $\dfrac{2}{3}$ ② 1 ③ $\dfrac{3}{2}$ ④ 2 ⑤ 3

Ans. ①

숙대

$$\lim_{x \to \pi} \frac{x}{x - \pi} \int_{\pi}^{x} \frac{\sin t}{t} dt = ?$$

Ans. 0

*극한의 성질

두 함수 $f(x), g(x)$가 $\displaystyle \lim_{x \to a} f(x) = \alpha, \lim_{x \to a} g(x) = \beta$

(1) $\displaystyle \lim_{x \to a} \{f(x) + g(x)\} = \lim_{x \to a} f(x) + \lim_{x \to a} g(x) = \alpha + \beta$

(2) $\displaystyle \lim_{x \to a} f(x)g(x) = \lim_{x \to a} f(x) \cdot \lim_{x \to a} g(x) = \alpha \cdot \beta$

(3) $\displaystyle \lim_{x \to a} cf(x) = c \lim_{x \to a} f(x) = c\alpha$

8) 극한 $\displaystyle\lim_{x\to 0}\frac{1}{x}\int_x^{2x}\frac{1-t^2}{1+t^2}dt$의 값은?

① 1   ② 2   ③ -1 ④ -2 ⑤ 0

Ans.①

9) 극한 $\displaystyle\lim_{x\to 0}\left(\frac{\displaystyle\int_0^{x^2}\sin 2t\,dt}{\displaystyle\int_0^{x}x^2\tan t\,dt}\right)$ 의 값은?

① 1   ② 2   ③ 3   ④ 4   ⑤ 5

Ans.②

< 정적분과 무한급수 >

$$\lim_{n \to \infty} \sum_{k=1}^{n} \left(\frac{k}{n} \right) \frac{1}{n} = \int_0^1 x\,dx$$

1) $\displaystyle \lim_{n \to \infty} \left(\frac{1}{n^4} + \frac{2^3}{n^4} + \frac{3^3}{n^4} + \cdots + \frac{n^3}{n^4} \right) = ?$

2) $\displaystyle \lim_{n \to \infty} \sum_{k=1}^{n} \frac{1}{n+k}$

3) $\displaystyle \lim_{n \to \infty} n \left(\frac{1}{n^2+1} + \frac{1}{n^2+2^2} + \cdots + \frac{1}{n^2+n^2} \right) = ?$

Ans. $\dfrac{\pi}{4}$

4) $\lim\limits_{n \to \infty} \left(\dfrac{1}{\sqrt{n^2+1}} + \dfrac{1}{\sqrt{n^2+2^2}} + \cdots + \dfrac{1}{\sqrt{n^2+n^2}} \right)$

5) $\lim\limits_{n \to \infty} \dfrac{\pi}{2n} \sum\limits_{j=1}^{n} \sin\left(\dfrac{j\pi}{2n} \right) = ?$

$Ans.\, 1$

6) $\lim\limits_{n \to \infty} \dfrac{1}{n} \left(\ln\left(2 + \dfrac{1}{n}\right) + \ln\left(2 + \dfrac{2}{n}\right) + \cdots + \ln\left(2 + \dfrac{n}{n}\right) \right)$

7) $\lim\limits_{n \to \infty} \left(\displaystyle\int_0^1 f(x)\,dx - \sum\limits_{k=1}^{n} f\left(\dfrac{k}{n}\right) \dfrac{1}{n} \right) = ?$

$Ans.\, 0$

21항공

8) 극한 $\displaystyle\lim_{n\to\infty}\sum_{k=1}^{n}\frac{\pi}{4n}\tan^3\frac{k\pi}{4n}$ 의 값을 구하시오.

① $1-\ln 2$ ② $\dfrac{1}{2}$ ③ $\dfrac{1}{2}-\ln 2$ ④ $\dfrac{1}{2}(1-\ln 2)$

Ans. ④

9) $\displaystyle\lim_{n\to\infty}\frac{1}{n}\left(\cos\frac{2}{3n}+\cos\frac{4}{3n}+\cdots+\cos\frac{6n}{3n}\right)$

10) $f(x) = \sum_{k=0}^{n-1} x^{2n+k}$ 일 때, $\lim_{n \to \infty} \int_0^1 f(x)dx = ?$

$Ans. \ln \dfrac{3}{2}$

11) $\lim_{n \to \infty} \dfrac{(1 + 2^2 + 3^2 + \cdots + n^2)(1 + 2^3 + 3^3 + \cdots + n^3)}{(1 + 2 + 3 + \cdots + n)(1 + 2^4 + 3^4 + \cdots + n^4)} = ?$

$Ans. \dfrac{5}{6}$

12) 다음 급수의 값은?

$$\sum_{k=1}^{\infty}\left(\left(\lim_{n\to\infty}\frac{n-1}{n}\right)^{kn+2016}\right)$$

① e^{2016} ② $\dfrac{e}{e^2-2}$ ③ $\dfrac{e^{2016}}{e+4}$ ④ $\dfrac{1}{e-1}$ ⑤ $\dfrac{e}{e^{2016}+1}$

*Ans.*④

13) $\displaystyle\lim_{n\to\infty}\frac{(\sum_{k=1}^{n}k^3)(\sum_{k=1}^{n}k^5)}{(\sum_{k=1}^{n}k)(\sum_{k=1}^{n}k^7)}$ 의 값은?

①1 ②$\dfrac{1}{2}$ ③$\dfrac{2}{3}$ ④$\dfrac{3}{4}$

*Ans.*③

< 감마함수 >

$\Gamma(n) = \int_0^\infty e^{-x} x^{n-1} dx \ (n > 0) = (n-1)\Gamma(n-1)$

$\Gamma(n) = (n-1)! \ (n = 자연수)$

$\Gamma\left(\dfrac{5}{2}\right) = \dfrac{3}{2}\Gamma\left(\dfrac{3}{2}\right) = \dfrac{3}{2}\dfrac{1}{2}\Gamma\left(\dfrac{1}{2}\right)$

$\Gamma(5) = 4!$

$\Gamma(1) = 1$

$* \ \int_0^\infty x^n e^{-x} dx = n! \ (단, \ n = 0 \ 또는 \ n = 자연수)$

---

1) $\dfrac{\Gamma\left(\dfrac{5}{2}\right)}{\Gamma\left(\dfrac{1}{2}\right)} = ? \ Ans. \ \dfrac{3}{4}$

2) $\Gamma\left(\dfrac{1}{2}\right) = ? \ Ans. \ \sqrt{\pi}$

$\rightarrow \int_0^\infty x^{\frac{1}{2}-1} e^{-x} dx$

$* \ \int_0^\infty e^{-x^2} dx = \dfrac{\sqrt{\pi}}{2} = \Gamma\left(\dfrac{3}{2}\right)$

3) $\int_0^\infty \sqrt{x} \, e^{-x} dx$

4) $\int_0^\infty x^3 e^{-x} dx$ 의 값은?

① 3   ② 6   ③ $\frac{4}{15} e^3$ ④ $\frac{5}{16} \sqrt{e}$

Ans. ②

5) 임의의 양수 $x > 0$에 대하여 함수 $\Gamma(x) = \int_0^\infty t^{x-1} e^{-t} dt$는 이상적분으로 정의된다.
$\Gamma\left(\frac{1}{2}\right)$의 값은?

① $\frac{\sqrt{\pi}}{4}$ ② $\frac{\sqrt{\pi}}{2}$ ③ $\sqrt{\pi}$ ④ $2\sqrt{\pi}$ ⑤ $4\sqrt{\pi}$

Ans. ③

< 이상적분(특이적분) >

$ex)$ $\int_{-1}^{1} \frac{1}{x^2} dx$

---

*디리클레 판정법

$\int_{a}^{\infty} f(x)g(x)dx$ 형태이며, 제일 우선 판정한다. 아래, 조건을 만족하면 수렴이고

그렇지 않으면, 다른 판정법을 쓴다.

① $\left| \int_{a}^{\infty} f(x)dx \right| \le C$인 상수 C존재

② $g(x)$가 감소함수 이며 $\lim_{x \to \infty} g(x) = 0$

---

* p급수 판정법

1. $\int_{a}^{\infty} \frac{1}{x^p} dx$ (단, $a > 0$) : 정적분 구간 내에 분모가 ∞ 이 되는 형태
$\Rightarrow p > 1$ 수렴

2. $\int_{a}^{b} \frac{1}{(x-c)^p} dx$ (단, $a \le c \le b$) : 정적분 구간내에 분모가 0이 되는 형태이며
x의 차수가 1차 일 때만 가능하다.
$\Rightarrow p < 1$ 수렴

$ex) \int_{1}^{\infty} \frac{1}{x^2} dx$, $\int_{1}^{4} \frac{1}{\sqrt{x-1}} dx$, $\int_{0}^{1} \frac{1}{\sqrt{x}} dx$, $\int_{0}^{3} \frac{1}{(x-1)^{\frac{2}{3}}} dx$

$\int_{0}^{3} \frac{1}{x-1} dx$, $\int_{-2}^{0} \frac{1}{(x+1)^2}$, $\int_{1}^{10} \frac{1}{(x-2)^{\frac{2}{3}}} dx$,

---

> * 큰수작발 : 큰놈이 수렴하면 작은놈이 수렴 작은놈이 발산하면 큰놈도 발산
>
> f, g가 연속이고 $0 \leq f(x) \leq g(x)$이 성립할 때,
>
> ① $\int f(x)dx$가 발산하면 $\int g(x)dx$도 발산한다.
>
> ② $\int g(x)dx$도 수렴하면 $\int f(x)dx$도 수렴한다.
>
> * $0 \leq x \leq \dfrac{\pi}{2}$에서 $\sin x \leq x \leq \tan x$

$ex)$ $\displaystyle\int_1^\infty \frac{\ln x}{x^2}dx$, $\displaystyle\int_{-\infty}^\infty \frac{\cos^2 x}{1+x^2}dx$, $\displaystyle\int_0^e \frac{\ln x}{1+x^2}dx$, $\displaystyle\int_1^\infty \frac{1}{x+e^{2x}}dx$, $\displaystyle\int_0^{\frac{\pi}{2}} \frac{1}{x\sin x}dx$

$$\int_0^\infty \frac{2}{e^x+e^{-x}}dx \ < \int_0^\infty \frac{2}{e^x}dx : 수렴$$

$ex)$ $\displaystyle\int_0^\infty \frac{\tan^{-1}x}{2+e^x}dx < \int_0^\infty \frac{\frac{\pi}{2}}{e^x}dx$　　　　　　$\displaystyle\int_0^1 \frac{e^x}{\sqrt{x}}dx < \int_0^1 \frac{e}{\sqrt{x}}dx : 수렴$

* 감마함수

① $\int_0^\infty e^{-x^2}dx = \dfrac{\sqrt{\pi}}{2}$

② $\int_0^\infty x^n e^{-x}dx = n!$ (단, $n=0$ 또는 $n=$ 자연수)

③ $\int_a^\infty e^{-x}dx$ (단, a는 모든 실수)는 항상 수렴

④ $\int_0^\infty x^2 e^{-x^2}dx = \dfrac{\sqrt{\pi}}{4}$

★ $\int_a^\infty x^\triangle e^{-\bigcirc}dx = $ 수렴 (단, 분모가 0이 되면 안된다.)

$$\int_0^\infty xe^{-x^2}dx = \dfrac{1}{2} \quad , \quad \int_0^\infty e^{-x}dx = 1$$

*증발법칙

$\int_a^\infty \dfrac{f(x)}{g(x)}dx$ 이 형태 일때, 강한놈만 살아 남고 나머지 증발.($g(x)\neq 0$)

$3^{-x}, e^{-x}, 2^{-x}, \cdots < \sin x, \cos x, \tan^{-1}x < (\ln x)^1 < x^p(p>0) < a^x(a>1) < x! < x^x < (2x)!$

(증발법칙을 사용할 때는 디리클레 판정법에서 판정불가일때만 사용가능하다.)

$ex) \int_1^\infty \dfrac{dx}{x(1+x^2)}, \qquad \int_1^\infty \dfrac{x}{x^3+2}dx$

* $\int_{-\infty}^\infty f(x)dx$ 일때, $\int_0^\infty f(x)$가 수렴하면 $\int_{-\infty}^\infty f(x)dx$도 수렴

$ex) \int_{-\infty}^\infty \dfrac{1}{x^2+2x+2}dx = \pi \ , \ \int_{-\infty}^\infty \dfrac{1}{1+x^2}dx = \pi$

* $\ln x$ 형태

① $\int_0^1 (\ln x)^n dx = (-1)^n n!$, $ex) \int_0^1 \ln x\, dx = -1$

② $\int_0^1 x^p \ln x\, dx$: $p>-1$일때 수렴하고 수렴값은 $\dfrac{-1}{(p+1)^2}$, $ex) \int_0^1 x^2 \ln x\, dx = \dfrac{-1}{9}$

③ $\int_0^a \dfrac{\ln x}{x^p}dx$: $p<1$ (수렴), $p\geq 1$ (발산)

④ $\int_0^1 \dfrac{1}{x^a(\ln x)^b}dx$: $0<a,b<1$ (수렴)

⑤ $\int_a^\infty \dfrac{1}{\ln x}dx$: 발산 $(a>0)$

- 75 -

Q. 수렴과 발산을 판단해라.

1) $\displaystyle\int_1^\infty \frac{e^{-x}}{x}dx$

2) $\displaystyle\int_1^\infty \frac{\sin x}{x}dx$

3) $\displaystyle\int_2^\infty \frac{\sin x}{x(\ln x)^2}dx$

4) $\displaystyle\int_1^\infty \frac{\cos x}{x^2}dx$

5) $\displaystyle\int_1^\infty \frac{\sin^8 x}{x^3+4}dx$

6) $\displaystyle\int_1^\infty \frac{\cos^3 x}{x^2}dx$

7) $\displaystyle\int_1^\infty \frac{\cos^2 x}{x^2}dx$

8) $\displaystyle\int_1^\infty \frac{1}{x}dx$

9) $\displaystyle\int_1^\infty \frac{1+e^{-x}}{x}dx$

10) $\displaystyle\int_1^\infty \frac{\cos^4 x}{x^3+1}dx$

11) $\displaystyle\int_1^\infty \frac{\sin x+\cos x}{\sqrt{x}}dx$

12) $\displaystyle\int_1^\infty \frac{1}{x}dx$

13) $\displaystyle\int_1^\infty \frac{1}{x^2}dx$

14) $\displaystyle\int_2^\infty \frac{1}{(x-1)^{3/2}}dx$

15) $\displaystyle\int_2^\infty \frac{1}{x(\log x)^p}dx$이 수렴하기 위한 p의 범위?

16) $\displaystyle\int_{e^3}^{\infty} \dfrac{dx}{x\ln x\,(\ln\ln x)^3}$

17) $\displaystyle\int_{0}^{\infty} \dfrac{1}{1+x^2}\,dx$

18) $\displaystyle\int_{1}^{\infty} \dfrac{1}{x+\sqrt{x}}\,dx$

19) $\displaystyle\int_{1}^{\infty} \dfrac{x}{1+x^3}\,dx$

20) $\displaystyle\int_{2}^{\infty} \dfrac{x^2}{\sqrt{x^5-1}}\,dx$

21) $\displaystyle\int_{-\infty}^{-1} \dfrac{1}{\sqrt{2-x}}\,dx$

22) $\displaystyle\int_{0}^{\infty} \dfrac{2+2x}{(x+1)^2}\,dx$

23) $\displaystyle\int_{\frac{1}{3}}^{\infty} \dfrac{1}{1+9x^2}\,dx$

24) $\displaystyle\int_0^\infty \left(\frac{1}{\sqrt{x^2+4}} - \frac{p}{x+2}\right)dx$이 수렴하기 위한 p와 그 수렴값은?

25) $\displaystyle\int_0^\infty e^{-x}\,dx$

26) $\displaystyle\int_0^\infty x^5 e^{-x}\,dx$

27) $\displaystyle\int_1^\infty e^{-x}\,dx$

28) $\displaystyle\int_0^\infty e^{-x^2}\,dx$

29) $\displaystyle\int_{-\infty}^0 x e^x\,dx$

30) $\displaystyle\int_{-\infty}^0 e^x\,dx$

31) $\int_0^\infty e^{\frac{-x}{2}} dx$

32) $\int_0^\infty \frac{e^{-2x}}{\sqrt{2x}} dx$

33) $\int_0^\infty x^5 e^{-x^5} dx$

34) $\int_0^\infty e^{-4x^2} dx$

35) $\int_0^\infty x^2 e^{-x^2} dx$

36) $\int_1^\infty \frac{1}{x+e^x} dx$

37) $\int_{1}^{\infty} \dfrac{e + \sin x}{\pi \sqrt{x}} dx$

38) $\int_{1}^{\infty} \dfrac{\cos^4 x}{x^3 + 1} dx$

39) $\int_{1}^{\infty} \dfrac{1 + e^{-x^2}}{1 + \ln x} dx$

40) $\int_{0}^{1} \sqrt{x} \ln x \, dx$

41) $\int_{0}^{\infty} e^{-\sqrt{x}} x^{2021} dx$

42) $\int_{0}^{1} \dfrac{1 + x^{2021}}{\sqrt{x}} dx$

43) $\displaystyle\int_1^\infty \frac{\ln x}{x^2}dx$

44) $\displaystyle\int_0^\infty \sin x\,dx$

45) $\displaystyle\int_{-\infty}^\infty \frac{1}{1+x^2}dx$

46) $\displaystyle\int_{-\infty}^\infty x\,dx$

47) $\displaystyle\int_{-\infty}^\infty xe^{-x^2}dx$

[21아주]
48) $\displaystyle\int_0^\infty \frac{\sqrt{x}}{x+x^2}dx$: 수렴

49) $\displaystyle\int_{-\infty}^\infty e^{-\frac{x^2}{2}}dx$

50) $\displaystyle\int_{-\infty}^{\infty} \frac{1}{\pi}\, \frac{1}{1+x^2}\, dx$

51) $\displaystyle\int_{-\infty}^{\infty} \frac{1}{4x^2+4x+17}\, dx$

52) $\displaystyle\int_{0}^{1} \frac{1}{\sqrt{x}}\, dx$

53) $\displaystyle\int_{0}^{2} \frac{1}{x}\, dx$

54) $\displaystyle\int_{2}^{5} \frac{1}{\sqrt{x-2}}\, dx$

55) $\displaystyle\int_{0}^{5} \frac{1}{x-1}\, dx$

56) $\displaystyle\int_{0}^{1} \frac{1}{\sqrt{1-x^2}}\, dx$

57) $\int_0^1 \dfrac{1}{\sqrt{\tan x}}dx$

58) $\int_0^1 \dfrac{1}{x \tan x}dx$

59) $\int_0^2 \dfrac{\tan^2 x}{x^6}dx$

60) $\int_0^2 \dfrac{\sinh x}{x^{\frac{3}{2}}}dx$

61) $\int_{-1}^1 \dfrac{1}{x}dx$

62) $\int_{-1}^8 x^{\frac{-1}{3}}dx$

63) $\int_{-2}^1 \dfrac{2}{x^2}dx$

64) $\displaystyle\int_0^5 \frac{1}{\sqrt{|x-1|}}\,dx$

65) $\displaystyle\int_0^1 \frac{1}{\sqrt{x}\,(1+x)}\,dx$

66) $\displaystyle\int_0^1 \frac{\cos x}{x}\,dx$

67) $\displaystyle\int_0^1 \frac{e^x}{\sqrt{x}}\,dx$

68) $\displaystyle\int_0^1 \frac{e^{-x}}{x^2}\,dx$

69) $\displaystyle\int_0^1 \frac{\sqrt{x}}{1-x}\,dx$

70) $\displaystyle\int_0^1 \frac{\cos \pi x}{1-x}\,dx$

71) $\displaystyle\int_{-1}^{1}\frac{3^{\tan^{-1}x}}{x+1}dx$

72) $\displaystyle\int_{0}^{1}\frac{\ln x}{1+x^2}dx$

73) $\displaystyle\int_{0}^{1}\frac{1}{\sin x}dx$

74) $\displaystyle\int_{0}^{1}\frac{1}{\sqrt{\sin x}}dx$

75) $\displaystyle\int_{0}^{\frac{\pi}{2}}\sec x\,dx$

76) $\int_0^{\frac{\pi}{2}} \frac{1}{x\cos x} dx$

77) $\int_0^2 \frac{\sin(x-1)}{|x-1|^{\frac{3}{2}}} dx$

78) $\int_0^{\sqrt{5}} \frac{1}{(x^2-5)^2} dx$

79) $\int_0^1 \frac{\sin x}{x} dx$

80) $\int_0^1 \frac{\sin x}{x^{3/2}} dx$

81) $\int_0^1 \frac{1}{x \ln x} dx$

82) $\int_0^1 \dfrac{x}{\ln x} dx$

83) $\int_0^\infty \dfrac{1}{\sqrt{x}} dx$

84) $\int_0^\infty \dfrac{1}{(1+x)\sqrt{x}} dx$

85) $\int_0^\infty \dfrac{e^{-x}}{\sqrt{x}} dx$

86) $\int_0^\infty \dfrac{\sin^2 x}{x} dx$

87) $\int_0^\infty \dfrac{\tan^{-1} x}{2+e^x} dx$

88) 이상적분 $\int_0^x \dfrac{1-e^{-t^2}}{t^2}dt$가 수렴하는 양의 실수 x의 최대범위?

① $(0, \infty)$ ② $(0, e)$ ③ $(0, 1)$ ④ $(0, e^{-1})$

89) 이상적분 $\int_0^\infty \dfrac{dx}{x^p + x^q}$가 수렴하기 위한 필요충분조건으로 옳은 것은?
(단, $0 < p < q < \infty$)

① $p < 1, q > 1$
② $p \le 1, q \ge 1$
③ $q > p \ge 1$
④ $p + q > 2$
⑤ $p + q \ge 2$

90) 특이적분 $\int_1^2 \dfrac{x^x - x}{(x-1)^p}dx$ 가 수렴하도록 하는 자연수 p 의 최댓값은?

① 1 ② 2 ③ 3 ④ 4 ⑤ 5

91) $a > 0$ 일 때 $\int_0^{a^2} \dfrac{1}{|x-a|}dx < \infty$ 이기 위한 a의 범위는 $0 < a < p$ 이다. p의 최댓값은?

① 1 ② 2 ③ 3 ④ 4 ⑤ 5

92) $\displaystyle\int_0^\infty \frac{a^2}{a^2 x^2 + 1}dx = 1$을 만족하는 양수 $a = ?$

$Ans. \dfrac{2}{\pi}$

93) $\displaystyle\int_0^\infty \frac{1}{1+x^4}dx$

94) $\displaystyle\int_{-1}^0 \frac{1}{x^3}dx$

95) $\displaystyle\int_0^2 \frac{1}{(x-1)^2}dx$

96) $\displaystyle\int_{-1}^2 x^{\frac{-2}{3}}dx$

97) $\displaystyle\int_\pi^\infty \frac{x\sin x + \cos x}{x^2}dx = \frac{-1}{\pi}$

98) $\displaystyle\int_1^{\sqrt{e}} \frac{\ln(\ln x^2)}{x(\ln x^2)^p}dx$가 수렴하기 위한 실수 p의 값의 범위와 수렴값?

Ans. $p<1$일 때, $-\dfrac{1}{2(1-p)^2}$

99) $\displaystyle\int_1^{\infty} \frac{1}{x^2+2x+5}dx$

100) $\displaystyle\int_1^{\infty} \frac{x-1}{x^2+2x+5}dx$

101) $\displaystyle\int_0^{\infty} \frac{x}{\sqrt{x^2+2x+4}}dx$

22서강

102) 이상적분 $\displaystyle\int_0^{\infty} \frac{1}{\sqrt{x}\,(1+2x)}dx$ 의 값은?

① 1 ② $\dfrac{\pi}{2}$ ③ $\dfrac{\pi}{\sqrt{2}}$ ④ π ⑤ ∞

Ans. ③

103) $\int_1^\infty \frac{1}{x^2} \sin\left(\frac{\pi}{x}\right) dx = \frac{2}{\pi}$

104) $\int_0^1 \frac{e^{-x}}{x^2} dx$

105) $\int_2^\infty \frac{x^2}{\sqrt{x^5-1}} dx > \int_2^\infty \frac{x^2}{\sqrt{x^5}} dx$: 발산

106) $\int_3^\infty \frac{2}{x^2-1} dx$: 수렴

107) $\int_{-\infty}^\infty \frac{x}{(x^2+1)^2} dx$

108) $\int_1^\infty \frac{e+\sin x}{\pi\sqrt{x}}$: 발산

109) $\int_0^{\frac{\pi}{2}} \dfrac{1}{x \sin x} dx$: 발산 $\geq \int_0^{\frac{\pi}{2}} \dfrac{1}{x^2} dx$

110) $\int_0^2 \dfrac{1}{x^2 - 5x + 6} dx$

111) $\int_{-1}^1 \dfrac{\sin^{-1} x}{2 - x^2 + x^6} dx$

112) $\int_0^2 \dfrac{1}{\sqrt{2x - x^2}} dx$

113) $\int_0^1 \dfrac{1}{\sqrt{x(1-x)}} dx$

114) $\int_1^2 \dfrac{1}{x\sqrt{x^2 - 1}} dx$

115) $\int_0^1 \dfrac{\ln x}{x} dx$

116) 다음 <보기>의 이상적분 중에서 수렴하는 것만을 있는 대로 고른것은?

> ㄱ. $\displaystyle\int_0^\infty x^2 e^{-\sqrt{x}}\,dx$
>
> ㄴ. $\displaystyle\int_0^1 \frac{\sin(\pi x)}{1-x}\,dx$
>
> ㄷ. $\displaystyle\int_0^1 \frac{1}{x\ln x}\,dx$

① ㄱ ② ㄴ ③ ㄱ,ㄴ ④ ㄴ,ㄷ ⑤ ㄱ,ㄴ,ㄷ

*Ans.*③

117) 다음 <보기> 의 이상적분 중에서 수렴하는 것만을 있는 대로 고른 것은?

> ㄱ. $\displaystyle\int_{-\infty}^\infty e^{-x^2+2x}\,dx$
>
> ㄴ. $\displaystyle\int_1^\infty \frac{1+e^{-2x}}{2x}\,dx$
>
> ㄷ. $\displaystyle\int_0^1 (x+1)\ln x\,dx$

① ㄱ ② ㄴ ③ ㄱ, ㄷ ④ ㄴ, ㄷ ⑤ ㄱ, ㄴ, ㄷ

[22아주]

118) <보기>에서 수렴하는 이상 적분(improper integral)은 모두 몇 개인가?

<보기>

가. $\int_0^\infty \dfrac{e^{-x^2}}{|x-2|^{\frac{3}{2}}}dx$ 나. $\int_0^\infty \dfrac{1+x^{2022}}{\sqrt{x}}$ 다. $\int_0^\infty e^{-(\ln x)^2}dx$ 라. $\int_0^\infty \dfrac{x}{1+2x+x^2}dx$

① 0개   ② 1개   ③ 2개   ④ 3개   ⑤ 4개

$Ans.$②

119) 다음의 이상적분 중에서 발산하는 것은?

① $\int_1^\infty \dfrac{1}{x+x^2}dx$ ② $\int_0^\infty \dfrac{1}{\sqrt{x}}e^{-3x}dx$ ③ $\int_0^1 \dfrac{\sin x}{x^{3/2}}dx$ ④ $\int_0^1 \dfrac{\cos\pi x}{1-x}dx$

$Ans.$④

120) 적분 $\displaystyle\int_{2}^{\infty}\frac{1}{x^a(\ln x)^b}dx$ 에 대하여 옳은 것은?

① $a=1$, $b=0$일 때, 수렴한다.

② $a=2$, $b=-1$일 때, 발산한다.

③ $a=\dfrac{3}{2}$, $b=-\dfrac{1}{2}$일 때, 수렴한다.

④ $a=1$, $b=1$일 때, 수렴한다.

⑤ $a=\dfrac{1}{2}$, $b=2$일 때, 수렴한다.

Ans. ③

121) 다음 이상적분의 내용 중 틀린것은?

① $\displaystyle\int_{0}^{2}\ln x\,dx=-\infty$

② $\displaystyle\int_{1}^{\infty}\frac{1}{x}dx=\infty$

③ $\displaystyle\int_{-\infty}^{0}xe^x\,dx=-1$

④ $\displaystyle\int_{-\infty}^{\infty}\frac{1}{x^2+1}dx=\pi$

⑤ $\displaystyle\int_{1}^{\infty}\frac{1}{x^{p+1}}dx$ 는 $p>0$일 때 수렴, $p\le 0$일 때 발산한다.

Ans. ①

122) 이상적분 $\displaystyle\int_{e^2}^{\infty}\frac{1}{x((\ln x)^2+\ln x)}dx$ 의 값은?

① 1 ② $\ln\dfrac{3}{2}$ ③ $\ln 2$ ④ $\ln 3$ ⑤ ∞

Ans. ②

123) 적분 $\displaystyle\int_0^\infty \frac{dx}{(x+1)(x^2+1)}$ 의 값을 구하시오.

① $\dfrac{\pi}{2}$ ② $\dfrac{\pi}{3}$ ③ $\dfrac{\pi}{4}$ ④ $\dfrac{\pi}{5}$ ⑤ $\dfrac{\pi}{6}$

Ans. ③

124) 다음 특이적분 중 수렴하는 것을 모두 찾으시오.

ㄱ. $\displaystyle\int_0^1 \frac{dx}{\sqrt{x}+x^3}$ ㄴ. $\displaystyle\int_1^2 \frac{dx}{x\ln x}$ ㄷ. $\displaystyle\int_2^\infty \frac{1}{x^2-x}dx$

① ㄱ, ㄴ ② ㄱ, ㄷ ③ ㄴ, ㄷ ④ ㄱ, ㄴ, ㄷ ⑤ 없음.

Ans. ②

125) 다음 중 옳은 항을 모두 고르면?

(가) $\displaystyle\int_{-\pi}^\pi \sin(5x)\cos(x)dx = 0$

(나) $\displaystyle\int_{-\pi}^\pi \sin(3x)\sin(3x)dx = \frac{\pi}{2}$

(다) 이상적분 $\displaystyle\int_0^2 \frac{1}{x^{1.5}}dx$는 수렴한다.

(라) 이상적분 $\displaystyle\int_{-\pi}^\infty e^{-3(x-1)^2}dx$는 수렴하지 않는다.

① (가) ② (나) ③ (다) ④ (가),(라) ⑤ (나),(다)

Ans. ①

<직교좌표계 면적>

$$S = \int_a^b f(x)dx$$

1) $y = \ln x, x = 2, y = 0$으로 둘러싸인 부분의 면적

$Ans. 2\ln 2 - 1$

15국민

2) $f(x) = x^3 - x^2 - 2x$의 그래프와 x축으로 둘러싸인 영역의 넓이는?

① $\dfrac{37}{12}$ ② $\dfrac{5}{12}$ ③ $\dfrac{8}{3}$ ④ $\dfrac{27}{12}$

$Ans. ①$

3) $y = x^2$과 $y = 4x + 12$으로 둘러싸인 부분의 면적

$Ans. 88 - \dfrac{8}{3}$

4) $y = \dfrac{1}{4}x^2$과 $y = \dfrac{8}{x^2+4}$로 둘러싸인 부분의 면적

$Ans.\ 2\pi - \dfrac{4}{3}$

5) $y = x^3 - x^2 - x + a$는 극솟값 0을 갖는다. 이 함수와 x축으로 둘러싸인 부분의 면적은?

$Ans.\ \dfrac{4}{3}$

6) $\dfrac{x^2}{a^2} + \dfrac{y^2}{b^2} = 1$ 의 내부면적은?

$Ans.\ ab\pi$

7) $x \geq 0$에서 $f(x) = \dfrac{1}{2}(x^3 + x)$이다. f와 f^{-1}가 나타내는 두 곡선으로 둘러싸인 영역의 넓이는?

$Ans. \dfrac{1}{4}$

8) 곡선 $y = \dfrac{\sqrt{x^2 - 9}}{x^2}$ 와 두 직선 $y = 0, x = 6$ 으로 둘러싸인 부분의 넓이는?

① $\ln(2 + \sqrt{3}) - \dfrac{1}{2}$　② $\ln(2 + \sqrt{3}) + \dfrac{1}{2}$　③ $\ln(2 + \sqrt{3}) - \dfrac{\sqrt{3}}{2}$　④ $\ln(2 + \sqrt{3}) + \dfrac{\sqrt{3}}{2}$

$Ans. ③$

9) 좌표평면에서 매개변수방정식

$x = \theta - \sin\theta$, $y = 1 - \cos\theta$ 로 주어진 곡선의 $\theta = \theta_0$ 인 점에서의 접선의 기울기가 $\sqrt{3}$ 이다. 이 때, 모든 θ_0 값의 합은? $(0 \le \theta \le 2\pi)$

① $\dfrac{\pi}{3}$ ② π ③ $\dfrac{5\pi}{3}$ ④ $\dfrac{7\pi}{3}$

Ans. ①

10) 좌표평면에서 매개변수 θ 의 식으로 주어지는 사이클로이드 $x = \theta - \sin\theta$, $y = 1 - \cos\theta$ 와

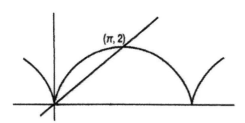

직선 $y = \dfrac{2}{\pi}x$ 로 둘러싸인 영역의 넓이는?

① $\dfrac{\pi}{5}$ ② $\dfrac{\pi}{4}$ ③ $\dfrac{\pi}{3}$ ④ $\dfrac{\pi}{2}$ ⑤ π

Ans. ④

11) 다음 매개곡선으로 둘러싸인 영역의 넓이는?

$x = \cos 2t,\ y = \cos 2t \tan t\,(-\dfrac{\pi}{2} < t < \dfrac{\pi}{2})$

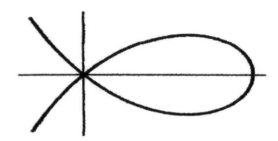

①　$2 - \dfrac{\pi}{12}$　　　②　$2 - \dfrac{\pi}{6}$　　　③　$2 - \dfrac{\pi}{4}$　　④　$2 - \dfrac{\pi}{3}$　　⑤　$2 - \dfrac{\pi}{2}$

Ans. ⑤

12) 곡선 $x = \cos^3 t,\ y = \sin^2 t\,(0 \le t \le \pi)$와 x축으로 둘러싸인 부분의 넓이는?

①　$\dfrac{2}{5}$　②　$\dfrac{4}{5}$　③　$\dfrac{6}{5}$　④　$\dfrac{8}{5}$　⑤　2

Ans. ②

18이대

13) 구간 $[0, \pi]$에서 곡선 $y = \sin x$와 곡선 $y = \cos x$로 둘러싸인 부분의 넓이를 구하시오.

① $\dfrac{1}{\sqrt{2}}$ ② $\sqrt{2} + 1$ ③ $2\sqrt{2}$ ④ $2\sqrt{2} - 1$ ⑤ $2\sqrt{2} + 1$

Ans. ③

14) $\left[0, \dfrac{\pi}{2}\right]$에서 두 곡선 $y = \cos x$와 $y = \sin 2x$사이의 넓이는?

Ans. $\dfrac{1}{2}$

16이대

15) 곡선 $y = \sin^2 x, y = \cos^2 x, -\dfrac{\pi}{4} \le x \le \dfrac{\pi}{4}$ 로 둘러싸인 영역의 넓이를 구하시오.

$Ans. 1$

<직교좌표계 곡선의 길이>

$a \sim b$ 구간에서 곡선의 길이 $: l = \displaystyle\int_{a}^{b} \sqrt{1 + (y^{'})^2}\, dx$

19숙대

1) 곡선 $y = \int_1^x \sqrt{\sqrt{t} - 1}\, dt,\ 1 \le x \le 16$의 길이를 구하시오.

① $\dfrac{118}{5}$ ② $\dfrac{120}{5}$ ③ $\dfrac{122}{5}$ ④ $\dfrac{124}{5}$ ⑤ $\dfrac{126}{5}$

Ans. ④

2) $y = \dfrac{2}{3} x^{\frac{3}{2}}$의 $0 \le x \le 1$ 부분의 곡선의 길이

Ans. $\dfrac{4\sqrt{2}}{3} - \dfrac{2}{3}$

3) $y = \ln(\sec x)$의 $0 \le x \le \dfrac{\pi}{3}$ 구간의 곡선길이는?

Ans. $\ln(2 + \sqrt{3})$

4) $y = \dfrac{e^x + e^{-x}}{2}$ 의 $-1 \le x \le 1$ 구간의 길이는?

$Ans.\ e - e^{-1}$

5) 곡선 $y = \dfrac{x^3}{3} + \dfrac{1}{4x}\ (1 \le x \le 3)$의 길이는?

$Ans.\ \dfrac{53}{6}$

6) 곡선 $y = \dfrac{x^2}{4} - \dfrac{1}{2}\ln x\ (1 \le x \le 2)$의 길이는?

$Ans.\ \dfrac{3}{4} + \dfrac{1}{2}\ln 2$

15숙대

7) 곡선 $x = \dfrac{1}{3}\sqrt{y}\,(y-3),\ (1 \le y \le 9)$의 호의 길이는?

① $\dfrac{32}{3}$ ②11   ③ $\dfrac{34}{3}$ ④ $\dfrac{35}{3}$ ⑤ 12

$Ans.$ ①

16숙대

8) 곡선 $y = \ln(1 - x^2),\ 0 \le x \le \dfrac{1}{2}$의 호의 길이는?

① $\ln 3 - \dfrac{1}{2}$ ② $\ln 3 + \dfrac{1}{2}$ ③ $\ln 3 - \ln 2$ ④ $\ln 3 + \ln 2$ ⑤ $\ln 3$

$Ans.$ ①

<매개변수함수의 곡선의 길이>

$$\begin{cases} x = f(t) \\ y = g(t) \end{cases} \quad l = \int_{t_1}^{t_2} \sqrt{\left(\frac{dx}{dt}\right)^2 + \left(\frac{dy}{dt}\right)^2}\, dt$$

1) $\begin{cases} x = a(t - \sin t) \\ y = a(1 - \cos t) \end{cases}$ 에서 $0 \sim 2\pi$ 까지의 곡선의 길이는?

Ans. $8a$

2) $\begin{cases} x = a\cos^3 t \\ y = a\sin^3 t \end{cases}$ 에서 $0 \sim 2\pi$ 구간의 곡선이 길이는?

Ans. $6a$

3) $x = \dfrac{2}{3}(2t+3)^{\frac{3}{2}}, y = (t+1)^2$의 $-1 \le t \le 1$ 부분의 길이

*Ans.*8

4) $x = \cos t,\ y = \sin t,\ 0 \le t \le \pi$ 부분의 길이는?

Ans. π

5) $x = e^t \sin t,\ y = e^t \cos t$의 $0 \sim \pi$까지 길이

Ans. $\sqrt{2}(e^\pi - 1)$

6) 곡선 $x = t - \sin t,\, y = \cos t\,(0 \le t \le 2\pi)$의 길이는?

① 2 ② 4 ③ 6 ④ 8 ⑤ 10

Ans. ④

20가천

7) 다음 곡선의 길이는?
   $x(t) = 3 + t^2,\, y(t) = \cosh(t^2)\,(0 \le t \le 1)$

① 1 ② cosh1 ③ sinh1 ④ tanh1

Ans. ③

<**직교좌표계의 회전체 체적**>

* x축 회전체

$$V_x = \int_a^b \pi y^2 dx$$

---

1) $y = x^3,\ y = 0,\ x = 2$로 둘러싸인 영역을 x축 회전시켰을때 회전체 부피는?

$Ans.\ \dfrac{2^7\pi}{7}$

2) $y = \sin x$와 $y = 0$으로 된 $(0 \le x \le \pi)$영역이 $V_x = ?$

$Ans.\ \dfrac{\pi^2}{2}$

3) $D = \left\{ (x,y) | 0 \le y \le \dfrac{1}{x^2+1} \right\}$ 의 $V_x = ?$

$Ans. \dfrac{\pi^2}{2}$

4) $y = x^2$ 과 $y = x^3$ 으로 둘러싸인 영역의 $V_x = ?$

$Ans. \dfrac{2\pi}{35}$

5) $y = 3\sqrt{x}$ 와 두 직선 $y = 3$, $x = 9$ 로 둘러싸인 영역을 $y = 3$ 을 축으로 회전시켰을때 회전체의 부피는?

Ans. 120π

6) 중심이 원점이고 반지름이 2인 속이 꽉 찬구를 평면 $z = 1$ 로 잘랐을 때, 큰 영역의 부피는?

Ans. 9π

7) 구간 $[-\pi, \pi]$에서 두 함수 $f(x) = 3\sqrt{2}\cos x$와 $g(x) = 3$의 그래프로 둘러싸인 영역을 직선 $y = 3$을 중심으로 회전하여 얻은 입체의 부피는?

Ans. $9\pi(\pi - 3)$

22경희

8) 직선 $x = 0, y = \dfrac{1}{2}$와 $y = \cos x$로 둘러싸인 영역을 직선 $y = -\dfrac{1}{2}$을 중심으로 회전하여

얻은 입체의 부피는? (단, $0 \le x \le \dfrac{\pi}{3}$)

① $\dfrac{(8\sqrt{3} - \pi)}{24}\pi$ ② $\dfrac{(9\sqrt{3} - 2\pi)}{24}\pi$ ③ $\dfrac{(12\sqrt{3} - \pi)}{24}\pi$ ④ $\dfrac{(15\sqrt{3} - 2\pi)}{24}\pi$ ⑤ $\dfrac{(18\sqrt{3} - \pi)}{24}\pi$

*Ans.*④

9) 연속함수 $f(x)$가 모든 실수 a에 대하여 $\int_0^{2a} f(x)dx = e^a - 1$을 만족한다. 곡선 $y = f(x)$와 x축, y축 및 $x = 1$로 둘러싸인 부분을 x축 둘레로 회전시켜 생기는 입체의 부피는?

$Ans. \dfrac{\pi}{4}(e-1)$

10) 싸이클로이드 곡선 $x = \theta - \sin\theta, y = 1 - \cos\theta \ (0 \le \theta \le 2\pi)$를 x축에 대하여 회전시켜 얻은 회전체의 부피를 구하시오.

① $5\pi^2$ ② $4\pi^2$ ③ $\dfrac{3\pi^2}{2}$ ④ 4π

$Ans. ①$

15성대

11) 함수 $f(x)=\begin{cases} \tan x & \left(0 \leq x \leq \dfrac{\pi}{4}\right) \\ 1 & \left(\dfrac{\pi}{4} \leq x \leq \dfrac{\pi}{2}\right) \end{cases}$ 의 그래프와 직선 $x=\dfrac{\pi}{2}$, x축에 의해 둘러싸인 영역을

x축 둘레로 회전시켜 생긴 도형의 부피는?

① $\dfrac{3\pi}{4}$ ② π ③ $\dfrac{2\pi^2}{5}$ ④ $\dfrac{5\pi}{4}$ ⑤ $\dfrac{2\pi^2}{5}$

Ans. ②

12) 타원 $\dfrac{x^2}{4}+\dfrac{y^2}{9}=1$로 둘러싸인 영역을 x축의 둘레로 회전시켜 만든 회전체부피?

① 8π ② 12π ③ 16π ④ 20π ⑤ 24π

Ans. ⑤

13) 곡선 $y = x^2 - 2x$와 직선 $y = x - 2$로 둘러싸인 영역을 x축 주위로 회전하여 얻은 회전체의 부피는?

① $\dfrac{\pi}{5}$ ② $\dfrac{2\pi}{5}$ ③ $\dfrac{3\pi}{5}$ ④ $\dfrac{4\pi}{5}$

Ans. ①

* y축 회전체

$$V_y = 2\pi \int_a^b xy\,dx$$

1) x축, $y = x^2$, $x = 1$로 둘러싸인 영역의 $V_y = ?$

Ans. $\dfrac{\pi}{2}$

2) $y = x^2 + 1$, $x = 1$, $x = 2$, $y = 0$으로 둘러싸인 영역을 y축으로 회전시켰을때의 도형의 체적은?

Ans. $\dfrac{21\pi}{2}$

3) $y = e^{x^2}$, $x = 0$, $x = 1$, $y = 0$으로 둘러싸인 영역의 y축 회전체 부피는?

Ans. $\pi(e - 1)$

21경희

4) xy평면에서 $y = 2\sqrt{x}, y = 0, x = 2$ 로 둘러싸인 영역을 $x = -2$둘레로 회전시킬 때 생기는 입체의 부피는?

① $\dfrac{84}{5}\pi$ ② $\dfrac{84\sqrt{2}}{5}\pi$ ③ $\dfrac{254}{15}\pi$ ④ $\dfrac{254\sqrt{2}}{15}\pi$ ⑤ $\dfrac{256\sqrt{2}}{15}\pi$

Ans. ⑤

5) $y = x^3, y = x^2$으로 둘러싸인 영역의 $V_y = ?$

Ans. $\dfrac{\pi}{10}$

6) $y = 2 - x^2$과 $y = x^2$으로 둘러싸인 영역의 $V_y = ?$
Ans. π

7) 두 곡선 $y = x$와 $y = x^2$으로 둘러싸인 영역을 $x = -2$를 축으로 회전한 회전체의 부피는?

$Ans. \dfrac{5\pi}{6}$

15숙대

8) 곡선 $y = 4x - x^2$과 직선 $y = 3$으로 둘러싸인 영역을 $x = 1$을 축으로 회전하여 생기는 입체의 부피는?

① $\dfrac{4\pi}{3}$　② $\dfrac{5\pi}{3}$　③ 2π　④ $\dfrac{7\pi}{3}$　⑤ $\dfrac{8\pi}{3}$

$Ans. ⑤$

16숙대

9) $y = 4x - x^2,\ y = -5$로 둘러싸인 영역을 $x = -1$을 축으로 회전하여 생기는 입체의 부피는?

① 144π　② 162π　③ 180π　④ 198π　⑤ 216π

$Ans. ⑤$

10) 직선 $y = x + 1$과 y축, 그리고 두 직선 $y = 2$, $y = 4$로 둘러싸인 도형이 있다. 이 도형을 y축 둘레로 회전시킨 회전체의 부피?

$Ans. \dfrac{26\pi}{3}$

11) x축, $y = x^2$의 그래프, $x = 2$의 그래프로 둘러싸인 부분을 직선 $y = -1$을 회전했을 때, 만들어지는 입체의 부피?

$Ans. \dfrac{176\pi}{15}$

12) 곡선 $y = 2x^2 - x^3$와 직선 $y = 0$으로 둘러싸인 영역을 y축 둘레로 회전시켜 만든 회전체의 부피는?

$Ans. \dfrac{16\pi}{5}$

13) 제1사분면에서 포물선 $y = x^2$과 직선 $y = 2x$로 둘러싸인 영역을 y축에 대하여 회전시켜서 얻은 도형의 부피는?

$Ans. \dfrac{8\pi}{3}$

14) $y = x - x^3,\ x \geq 0$와 $y = 0$으로 둘러싸인 영역을 $x = 2$를 축으로 회전시킬 때 생기는 입체의 부피는?

$Ans. \dfrac{11\pi}{15}$

15) 영역 $G = \left\{(x,y) \mid (1-x)^2 \leq y \leq 1-x\right\}$을 직선 $x=5$에 대하여 회전시켜 얻어지는 입체의 부피는?

$Ans. \dfrac{3\pi}{2}$

16) 밑면은 $y = \sin x \ (0 \leq x \leq \pi)$와 x축으로 둘러싸인 영역이고 x축에 수직으로 자른단면은 한 변이 xy평면에 놓여있는 정삼각형의 입체의 부피를 구하시오.

$Ans. \dfrac{\sqrt{3}}{8}\pi$

17) 곡선 $x = (y-1)(y-3)$과 y축에 의해 둘러싸인 영역을 x축을 중심으로 회전시킬 때 생기는 입체의 부피는?

$Ans. \dfrac{16}{3}\pi$

18아주

18) 평면상의 영역 $\left\{ (x,y) : \sin(x^2) \le y \le \cos(x^2), 0 \le x \le \dfrac{\sqrt{\pi}}{2} \right\}$ 를 y-축 주위로 회전하여 얻어진 입체의 부피는?

① $(\sqrt{2}-1)\pi$ ② π ③ $\sqrt{2}\pi$ ④ 2π ⑤ $(\sqrt{2}+1)\pi$

$Ans. ①$

19) 곡선 $x=(y-1)^2$ 과 직선 $x=9$ 로 둘러싸인 영역을 직선 $y=5$ 를 축으로 하여 회전시켰을 때 얻어지는 회전체의 부피는?

① 120π ② 144π ③ 240π ④ 288π

$Ans.$ ④

20) $y=\sin^{-1}x,\ x=0,\ y=\dfrac{\pi}{2}$ 로 이루어진 영역을 x 축으로 회전하여 생기는 입체의 부피는?

① 2π ② 3π ③ 4π ④ 5π

$Ans.$ ①

<회전체의 겉넓이>

$S_x = 2\pi \int_a^b y\,(\text{곡선의 길이})dx$, 직교좌표의 곡선의 길이 : $\sqrt{1+(y')^2}\,dx$

매개변수의 곡선의 길이 : $\sqrt{\left(\dfrac{dx}{dt}\right)^2 + \left(\dfrac{dy}{dt}\right)^2}\,dt$

극좌표의 곡선의 길이 : $\sqrt{r^2 + \left(\dfrac{dr}{d\theta}\right)^2}\,d\theta$

$S_y = 2\pi \int_a^b x\,(\text{곡선의 길이})dx$

Graph.

21아주(오후)

1) 곡선 $y = 2\sqrt{x}$ (단, $3 \le x \le 8$) 을 $x-$축 주위로 회전하여 얻어진 곡면의 넓이를 구하라.

① $\dfrac{76\pi}{5}$ ② $\dfrac{152\pi}{5}$ ③ $\dfrac{76\pi}{3}$ ④ $\dfrac{152\pi}{3}$ ⑤ 38π

Ans. ④

2) $y = x^3$, $0 \leq x \leq 1$ 부분의 $S_x = ?$

$Ans. \dfrac{\pi}{27}(10\sqrt{10}-1)$

3) $f(x) = \cosh x$의 $-1 \leq x \leq 1$ 부분의 $S_x = ?$

$Ans. \ \pi\left(\dfrac{e^2}{2} - \dfrac{e^{-2}}{2} + 2\right)$

4) $\begin{cases} x = a\cos^3 t \\ y = a\sin^3 t \end{cases}$ 의 $S_x = ?$

$Ans. \dfrac{12\pi a^2}{5}$

★구의 겉넓이

중심이 x축 위에 있는 원의 일부를 x축으로 회전하여 만들어지는 물체의 겉넓이공식

$y = \sqrt{r^2 - x^2}$, $a \le x \le b \Rightarrow S = 2\pi(원의반지름) \times 정의역길이 = 2\pi r(b-a)$

---

5) $y = \sqrt{16 - x^2}$ 의 그래프를 구간 $[-2, 2]$에서 x축에 대하여 회전시켰을 때 만들어지는 입체의 표면적을 구하라.

Ans. 32π

19건국

6) 곡선 $y - 2x^3 (0 \le x \le 1)$를 x축에 대해 회전한 곡면의 면적은 ?

① $\dfrac{\pi}{27}(37^{\frac{3}{2}} - 1)$ ② $\dfrac{\pi}{54}(37^{\frac{3}{2}} - 1)$ ③ $\dfrac{\pi}{81}(37^{\frac{3}{2}} - 1)$ ④ $\dfrac{\pi}{54}(39^{\frac{3}{2}} - 1)$ ⑤ $\dfrac{\pi}{81}(39^{\frac{3}{2}} - 1)$

7) 곡선 $y = x^3$과 직선 $y = 0, x = 1$로 둘러싸인 영역을 x축에 대하여 회전시켜 생기는 입체의 표면적은?

$Ans. \dfrac{\pi}{27}\left(10\sqrt{10} - 1\right) + \pi$

8) 곡선 $y = x^2 (1 \le x \le 2)$을 y축 둘레로 회전시켜 얻어지는 곡면의 넓이를 구하라

$Ans. \dfrac{\pi}{6}\left(17\sqrt{17} - 5\sqrt{5}\right)$

9) 매개 방정식 $x = e^t - t, \; y = 4e^{\frac{t}{2}}, (0 \le t \le 1)$으로 주어진 곡선을 $x -$ 축 둘레로 회전시킨 곡면의 넓이를 구하라

$Ans. \; 16\pi\left(\dfrac{e^{\frac{3}{2}}}{3} + e^{\frac{1}{2}} - \dfrac{4}{3}\right)$

14인하

10) 구간 $0 \leq x \leq 1$에서 곡선 $y = \dfrac{2}{3}(x^2 + 1)^{\frac{3}{2}}$을 y축의 둘레로 회전시킬때 곡면의 겉넓이는?

Ans. 2π

11) 곡선 $y^2 - 2\ln y = 4x$의 $y = 1$에서 $y = 2$까지의 부분을 x축을 중심으로 회전시킨 회전면의 표면적을 구하면?

① 3π　② $\dfrac{5\pi}{3}$　③ $\dfrac{10\pi}{3}$　④ 4π

Ans. ③

<파푸스 정리>

*파푸스 공식 $V : 2\pi d \times$ 도형의 넓이 (d는 돌리려는 축에서 도형의 중심까지 거리)

$S : 2\pi d \times$ 도형의 길이

1) $(x-3)^2 + (y-2)^2 = 1$의 내부 영역을 x축을 중심으로 회전할 때 회전체의 부피는?

$Ans. \, 4\pi^2$

2) $x^2 + (y-2)^2 = 4$의 둘레를 x축으로 회전시켰을 때 회전체의 겉넓이?

$Ans. \, 16\pi^2$

3) $r = 2\cos\theta$의 둘레를 y축으로 회전시켰을 때 $S_y = ?$

Ans. $4\pi^2$

4) $r = \sin\theta$의 내부면적을 x축으로 회전시켰을 때 $V_x = ?$

Ans. $\dfrac{\pi^2}{4}$

5) $x = \cos\theta + 1, y = \sin\theta$의 호를 y축회전 시켰을 때 도형의 겉넓이?

Ans. $4\pi^2$

6) $x^2 + y^2 = a^2$을 $x = -a$를 중심으로 회전시켰을 때 $S_{x=-a} = ?$

$Ans. 4a^2\pi^2$

21건국

7) 좌표평면의 두 점 $(1, 3)$과 $(3, 1)$을 잇는 선분을 y축을 중심으로 한 바퀴 회전하여 얻은 곡면의 넓이는?

① $6\sqrt{2}\pi$ ② $7\sqrt{2}\pi$ ③ $8\sqrt{2}\pi$ ④ $9\sqrt{2}\pi$ ⑤ $10\sqrt{2}\pi$

$Ans. ③$

8) 영역 $\{(x,y) \in R^2 | x^2 + (y-2)^2 \leq 1\}$을 x축 중심으로 회전시켰을 때,
생기는 입체의 체적을 구하라.

$Ans. \, 4\pi^2$

9) 세 직선 $y = 2x, y = 3 - x, y = 0$으로 둘러싸인 영역을 $x = 4$를 회전축으로 하여
회전시킬 때 생기는 회전체 부피는?
$Ans. \, 16\pi$

10) xy평면의 두 점 $P = (-1, 0)$, $Q = (0, 1)$이 있다. 선분 PQ를 직선 $x = 1$을 축으로 회전하여 얻은 곡면의 표면적을 구하라.

Ans. $3\sqrt{2}\,\pi$

11) $1 \le a < 4$일 때,

좌표평면상의 영역 $x^2 + (y-a)^2 \le 1 - \dfrac{1}{4}a$를 x축 둘레로 회전시켜 만들어진 입체를 V_a라 하자. 이 때, V_a의 부피를 최대로 하는 a의 값은?

① 1 ② $\dfrac{3}{2}$ ③ 2 ④ $\dfrac{5}{2}$

Ans. ③

<극좌표>

- 직교좌표와 극좌표의 관계

$r = f(\theta)$

$x = r\cos\theta = f(\theta)\cos\theta$
$y = r\sin\theta = f(\theta)\sin\theta$

$x^2 + y^2 = r^2, \quad r = \sqrt{x^2 + y^2}$

$\tan\theta = \dfrac{y}{x}, \; \theta = \tan^{-1}\dfrac{y}{x}$

1) $y = x^2$을 극좌표로 나타내라

2) $y = \dfrac{1}{x}$을 극좌표로 나타내라

3) $r = 2a\cos\theta$을 직교좌표로 나타내라

4) $r = \dfrac{1}{1 - \sin\theta}$ 은 어떤 도형인가?

$* \, Ax^2 + By^2 + Cx + Dy + E = 0$

① $A \neq B, AB > 0$: 타원
② $A = B$: 원
③ $AB < 0$: 쌍곡선
④ $AB = 0$: 이차곡선, 포물선

● 극좌표의 접선의 기울기

$r = f(\theta)$

$x = r\cos\theta = f(\theta)\cos\theta$
$y = r\sin\theta = f(\theta)\sin\theta$

$$\frac{dy}{dx} = \frac{\dfrac{dy}{d\theta}}{\dfrac{dx}{d\theta}}$$

---

1) $r = \tan\theta$ 위의 점 $\left(1, \dfrac{\pi}{4}\right)$ 에서의 접선의 기울기는?

$Ans.\,3$

2) $r = 2\sin\theta$ 위의 점 $\left(1, \dfrac{\pi}{6}\right)$에서 접선의 기울기는?

Ans. $\sqrt{3}$

3) $r = 4$와 $r = 4\cos4\theta$의 교점의 개수?

Ans. 8

4) 극좌표상의 점 $\left(-2, \dfrac{\pi}{3}\right)$를 지나고 극좌표축에 평행인 직선의 극방정식은?

$* f\left((-1)^n r, n\pi + \theta\right) = 0 \ (n \geq 0)$

5) $r = 1 + \sin\dfrac{\theta}{2}$ 와 동일한 그래프가 아닌것은?

① $r = -1 - \cos\dfrac{\theta}{2}$ ② $r = 1 - \sin\dfrac{\theta}{2}$ ③ $r = -1 + \cos\dfrac{\theta}{2}$ ④ $r = -1 + \sin\dfrac{\theta}{2}$

$Ans.$ ④

<극좌표계 면적>

*극좌표계 면적 공식 : $S = \dfrac{1}{2} \displaystyle\int_{\alpha}^{\beta} r^2 d\theta$

① 심장형(cardioid)

$r = 1 + \cos\theta$

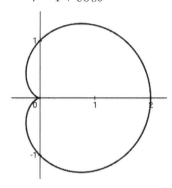

$r = 1 - \cos\theta$

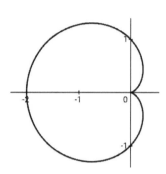

$r = 1 + \sin\theta$

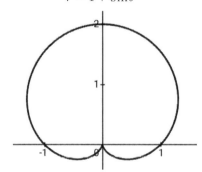

$r = 1 - \sin\theta$

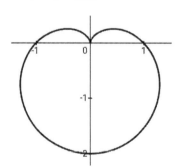

② $r = a + b\cos\theta$의 개형(단, $a, b > 0$)

$a > b$ $\qquad\qquad\qquad\qquad\qquad\qquad\qquad\qquad\qquad$ $a < b$

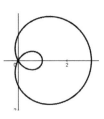

$a = b$ $\qquad\qquad$ $a - b \geq 1(egg\,형태)$ $\qquad\qquad$ $0 < a - b < 1$

$r = 1 + \cos\theta$ $\qquad\qquad$ $r = 2 + \cos\theta$ $\qquad\qquad$ $r = \sqrt{2} + \cos\theta$

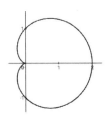 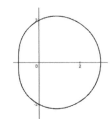 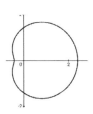

수평

수직

③ 연주형(2엽장미)

$r^2 = a^2\cos2\theta$ $\qquad\qquad\qquad\qquad\qquad\qquad$ $r^2 = a^2\sin2\theta$

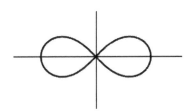 

④ $r^2 = 1 + \sin\theta$

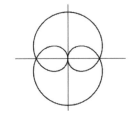

- 142 -

⑤ $r = a\cos n\theta \, (n \neq 1)$ $n = $ 짝수 : $2n$엽 장미
                               $n = $ 홀수 : n엽장미

4엽장미 : $r = a\cos 2\theta$ $r = a\sin 2\theta$

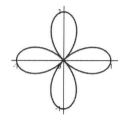   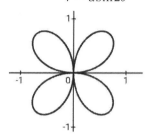

3엽장미 : $r = a\sin 3\theta$ $r = a\cos 3\theta$

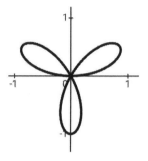   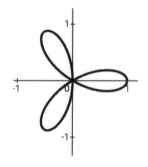

8엽장미 : $r = a\sin 4\theta$ $r = a\cos 4\theta$

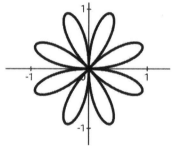   

⑥ 원 : $r = 2a\cos\theta \left(\dfrac{-\pi}{2} \leq \theta \leq \dfrac{\pi}{2} \right), r > 0$ $r = 2a\sin\theta \, (0 \leq \theta \leq \pi), r > 0$

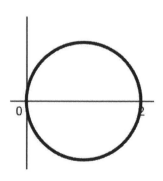   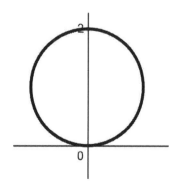

⑦ 기타

$r = \tan\theta$

$r = \theta$

$r = e^{\theta}$

$r = e^{-\theta}$

$r = a \ (\Leftrightarrow r = -a)$

$\theta = \dfrac{\pi}{3}$

1) $r = a(1 + \cos\theta)$의 내부면적?

$Ans. \ \dfrac{3\pi a^2}{2}$

2) $r = \cos\theta$의 외부와 $r = 1 + \cos\theta$ 내부면적?

Ans. $\dfrac{5\pi}{4}$

3) $r^2 = a^2\cos2\theta$ 의 내부면적?

Ans. a^2

4) $r = a\cos2\theta$의 내부면적?

Ans. $\dfrac{\pi a^2}{2}$

5) $r = a\sin3\theta$의 내부면적?

$Ans. \dfrac{\pi a^2}{4}$

6) $r = 2 + \cos\theta$의 내부면적?

$Ans. \dfrac{9\pi}{2}$

7) $r^2 = 1 + \sin\theta$로 둘러싸인 면적중 작은고리의 외부면적?

$Ans. 4$

21세종(오전)

8) 극곡선 $r = \sin 2\theta$의 한 고리로 둘러싸인 영역의 넓이는?

① $\dfrac{\pi}{32}$ ② $\dfrac{\pi}{16}$ ③ $\dfrac{3\pi}{32}$ ④ $\dfrac{\pi}{8}$ ⑤ $\dfrac{5\pi}{32}$

9) $r = \cos\theta$ 내부와 $r = \sin\theta$ 내부로 된 면적은?

$Ans. \dfrac{\pi}{8} - \dfrac{1}{4}$

10) $r = 4\cos\theta$ 내부와 $r = 2$ 외부면적?

$Ans. \dfrac{4\pi}{3} + 2\sqrt{3}$

11) $r = 3$외부와 $r = 2\sqrt{3}\sin\theta$의 내부영역의 면적은?

$Ans. \dfrac{3\sqrt{3}}{2} - \dfrac{\pi}{2}$

12) $r = a$의 내부와 $r = a(1-\cos\theta)$의 외부로 된 영역의 면적은?

$Ans. \left(2 - \dfrac{\pi}{4}\right)a^2$

13) $r = 1 + \cos\theta$의 외부와 $r = \sqrt{3}\sin\theta$의 내부로 된 영역의 면적은?

$Ans. \dfrac{3\sqrt{3}}{4}$

14) $r = 1 + \cos\theta$ 외부와 $r = 2 - \cos\theta$ 내부로 된 영역의 면적은?

$Ans. 2\pi + 3\sqrt{3}$

15) $r = 3\cos\theta$ 내부와 $r = 2 - \cos\theta$의 외부로 된 면적은?

$Ans. 3\sqrt{3}$

19숙대

16) 곡선 $r(\theta) = 2\cos 3\theta, 0 \leq \theta \leq 2\pi$ 으로 둘러싸인 영역의 넓이를 구하시오.

① $\dfrac{\pi}{3}$ ② $\dfrac{\pi}{2}$ ③ $\dfrac{2\pi}{3}$ ④ π ⑤ $\dfrac{3\pi}{2}$

$Ans.$ ④

18숙대

17) 곡선 $r^2 = 9\sin(2\theta), r > 0, 0 \le \theta \le \dfrac{\pi}{2}$ 로 둘러싸인 영역의 넓이는?

① $\dfrac{9}{4}$ ② 3 ③ 4 ④ $\dfrac{9}{2}$ ⑤ 5

$Ans.$ ④

18) 극방정식으로 주어진 곡선 $r = 6\cos\theta$의 내부와 $r = 2(1+\cos\theta)$의 외부의 공통 영역의 넓이는?

① $\dfrac{5\pi}{2}$ ② 3π ③ $\dfrac{7\pi}{2}$ ④ 4π ⑤ $\dfrac{9\pi}{2}$

$Ans.$ ④

20세종

19) 극곡선 $r = 3\sin\theta$의 내부와 $r = 1 + \sin\theta$의 외부에 놓인 영역의 넓이를 구하면?

① $\dfrac{\pi}{2}$ ② $\dfrac{3\pi}{4}$ ③ π ④ $\dfrac{5\pi}{4}$ ⑤ $\dfrac{3\pi}{2}$

$Ans.$ ③

<**극좌표계 곡선의 길이**>

*극좌표계 곡선의 길이 공식 : $l = \int_{\alpha}^{\beta} \sqrt{r^2 + \left(\dfrac{dr}{d\theta}\right)^2}\, d\theta$

---

1) $r = a(1 + \cos\theta)$의 길이?

Ans. $8a$

18숭실

2) 극좌표계에서 곡선 $r = 3\cos\theta \left(0 \leq \theta \leq \dfrac{\pi}{2}\right)$의 길이는?

① $\dfrac{\pi}{4}$ ② $\dfrac{\pi}{2}$ ③ $\dfrac{3\pi}{4}$ ④ $\dfrac{3\pi}{2}$

Ans. ④

13숭실

3) 곡선 $r = 2(\cos\theta + \sin\theta)$의 길이는?

① π ② $\sqrt{2}\pi$ ③ 2π ④ $2\sqrt{2}\pi$

Ans. ④

18세종

4) 극 곡선 $r = e^{-\theta} \, (0 \leq \theta \leq 1)$의 길이는?

① $1 - \dfrac{2}{e}$ ② $\sqrt{2}\left(1 - \dfrac{2}{e}\right)$ ③ $\sqrt{3}\left(1 - \dfrac{2}{e}\right)$ ④ $\sqrt{2}\left(1 - \dfrac{1}{e}\right)$ ⑤ $\sqrt{3}\left(1 - \dfrac{1}{e}\right)$

Ans. ④

5) $r = 1 - \cos\theta\,(0 \leq \theta \leq \pi)$의 그래프는 심장형 곡선의 윗쪽 절반을 나타낸다. 이 곡선의 길이를 l이라 한다면 길이가 $\dfrac{l}{2}$이 되는 지점의 극좌표는?

$Ans.\ \left(\dfrac{3}{2}, \dfrac{2}{3}\pi\right)$

6) $0 \leq \theta \leq \pi$에서 $r = \theta$가 나타내는 곡선의 길이에 대한 설명 중 옳은 것은?

① 1보다 작다

② 1보다 크고 2보다 작다

③ 2보다 크고 3보다 작다

④ π보다 크다

$Ans.$ ④

17국민

7) 극방정식 $r^2 = \cos 2\theta$의 그래프에서 y축의 우측에 놓인 곡선을 y축 중심으로 회전시켰을 때 생성된 곡면의 넓이는?

① $\sqrt{2}\,\pi$ ② $2\sqrt{2}\,\pi$ ③ $3\sqrt{2}\,\pi$ ④ $4\sqrt{2}\,\pi$

Ans. ②

< 극방정식의 접선의 기울기 >

곡선 $r = f(\theta)$위의 점 (r, θ)에서의 접선의 기울기는 $r = f(\theta)$를 $\begin{cases} x = r\cos\theta \\ y = r\sin\theta \end{cases}$ 에 대입한 후 매개변수함수 미분을 이용한다.

즉, $\dfrac{dy}{dx} = \dfrac{\dfrac{dy}{d\theta}}{\dfrac{dx}{d\theta}}$ 이 된다.

① 수직접선 : $\dfrac{dy}{dx} = \dfrac{\diamondsuit \neq 0}{\square = 0} = \infty$

수평접선 : $\dfrac{dy}{dx} = \dfrac{\diamondsuit = 0}{\square \neq 0} = 0$

② $\alpha = \theta + \phi$, $\tan\phi = \dfrac{r}{r}$ (θ는 주어짐), 접선의 기울기 $= \tan\alpha$, ϕ : 동경과 접선사이의 각

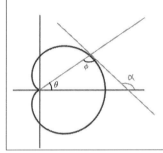

1) $r = \sin 3\theta$가 나타내는 곡선의 $\theta = \dfrac{\pi}{3}$ 에서 접선의 기울기는?

Ans. $\sqrt{3}$

2) 극방정식 $r = \sqrt{3} + \cos\theta\ (0 \le \theta < 2\pi)$로 주어진 곡선에서 수직접선을 갖는 모든 θ값의 합?

① $\dfrac{3}{2}\pi$ ② 2π ③ $\dfrac{5\pi}{2}$ ④ 3π

*Ans.*④

3) 극 곡선 $r = 1 + \sin\theta,\ 0 \le \theta \le 2\pi$에서 수직접선을 갖는 θ들의 합?

① $\dfrac{\pi}{3}$ ② $\dfrac{\pi}{2}$ ③ π ④ $\dfrac{5\pi}{2}$

*Ans.*④

18건국

4) 극좌표로 $r = 1 + \cos\theta$ 로 표시되는 곡선이 있다. $\theta = \dfrac{\pi}{6}$ 로 지정된 점에서 이 곡선의 접선의 기울기는?

① -2 ② -1 ③ $-\dfrac{1}{3}$ ④ $-\dfrac{1}{2}$ ⑤ $-\dfrac{\sqrt{3}}{2}$

*Ans.*②

17세종

5) 극곡선 $r = \cos\theta + \sin\theta$는 $\theta = a$에서 수직접선을 가지면 $\theta = b$에서 수평접선을 가진다. 이때 $a + b$의 값을 구하면?(단 $0 \le a, b \le \dfrac{\pi}{2}$이다.)

① $\dfrac{\pi}{8}$ ② $\dfrac{\pi}{6}$ ③ $\dfrac{\pi}{3}$ ④ $\dfrac{\pi}{2}$ ⑤ $\dfrac{3\pi}{4}$

*Ans.*④

6) 곡선 $r = a\sin\dfrac{\theta}{2}$에 대해 $\theta = \dfrac{\pi}{2}$에서의 동경과 접선이 이루는 각의 크기를 구하라.

① $\dfrac{\pi}{2}$ ② $\dfrac{\pi}{6}$ ③ $\sin^{-1}\dfrac{2}{\sqrt{5}}$ ④ $\tan^{-1}\dfrac{1}{2}$

Ans. ③

7) 두 곡선 $r = 2\cos\theta$와 $r = 3\tan\theta$의 교점 $\left(\sqrt{3}, \dfrac{\pi}{6}\right)$에서 두 곡선의 교각을 구하여라.

① 1 ② $\dfrac{\pi}{5}$ ③ $\tan^{-1}3\sqrt{3}$ ④ $\tan^{-1}5\sqrt{3}$

Ans. ④

8) 심장형$(Cardioid)$ $r = a(1 - \cos\theta),\ a > 0$에 대하여 다음 중 옳지 않은 것?

① $\theta = 0$ (또는 극축)에 관하여 대칭이다.

② $0 \le \theta \le \pi$에서 증가함수이다.

③ r은 $-a(1 + \cos\theta)$와 동치이다.

④ r을 직교방정식으로 표현하면, $(x^2 + y^2 + ax) = a^2(x^2 + y^2)$이다.

$Ans.\text{④}$

9) 원 $r = 2$ 외부와 연주형 $r^2 = 8\cos(2\theta)$의 내부로 둘러싸인 영역의 넓이는?

$Ans.\ 4\sqrt{3} - \dfrac{4\pi}{3}$

10) 좌표평면에서 극좌표로 표현된 영역 $R = \{(r,\theta)|1 \leq r \leq 2,\ \alpha \leq \theta \leq \beta\}$의 넓이가 π일 때 $\beta - \alpha$의 값은? (단, $0 \leq \alpha, \beta < 2\pi$)

$Ans.\ \dfrac{2}{3}\pi$

11) 구간 $[0,\pi]$에서 극좌표로 주어진 곡선 $r = 4\cos 3\theta$의 그래프로 둘러싸인 영역의 면적을 구하시오.

$Ans.\ 4\pi$

19이대

12) 2차원 평면에서 극좌표에 관한 방정식 $r = \dfrac{1}{2} + \sin(\theta)$로 주어지는 도형은 2차원

평면을 넓이가 무한한 부분 한 개와 넓이가 유한한 부분 두 개로 분할한다. 이 중 넓이가

유한한 두 부분의 넓이를 각각 A와 B라고 했을때, 두 값의 차이 $|A - B|$ 를 계산하시오.

① $\dfrac{3\pi}{4}$ ② $\sqrt{3}$ ③ $\dfrac{3\sqrt{3}}{8}$ ④ $\dfrac{3\sqrt{3}}{2}$ ⑤ $\dfrac{9\sqrt{3}}{8}$

*Ans.*⑤

13) 다음 극방정식

$$r = \frac{a}{3 + \cos\theta}$$

이 정의하는 곡선은 장축의 길이가 99인 타원이다. 이 때, 양수 a의 값을 구하면?

① 1   ② 6   ③ 9   ④ 12

*Ans.*④

14) 극좌표로 주어진 다음의 곡선들 중에서 폐곡선이 아닌 것은?

① $r = 2 + \sin\theta$ ② $r = 1 + 2\sin 3\theta$ ③ $r\cos\left(\theta - \dfrac{\pi}{3}\right) = 1$ ④ $r(3 + \sin\theta) = 1$

*Ans.*③

15) 선분 P_1은 극방정식으로 표현된 곡선 $r = 1 - \cos\theta$ 위의 점 $\left(1, \dfrac{\pi}{2}\right)$에서의 접선이고,

선분 P_2는 극 방정식으로 표현된 곡선 $r = 2\sin\theta$ 위의 점 $\left(\sqrt{2}, \dfrac{\pi}{4}\right)$에서의 접선일 때,

두 접선 P_1과 P_2의 교점은?

① $(1, 0)$ ② $\left(1, \dfrac{\pi}{2}\right)$ ③ $(1, \pi)$ ④ $\left(1, \dfrac{3\pi}{2}\right)$

*Ans.*①

16) 구간 $-\dfrac{\pi}{4} \le \theta \le \dfrac{\pi}{4}$ 에서 극방정식으로 표현된 곡선 $r = 2\sec\theta$의 호의 길이는?

Ans. 4

17) 좌표평면에서 극좌표로 주어진 두점 (r,θ)과 (ρ,ϕ)사이의 거리를 d라 할때, 옳은 것만을 보기에서 고르시오.

ㄱ. $\theta = \phi$이면 $d = |r-\rho|$이다.

ㄴ. $r=1,\ \rho=2$일 때 d의 최댓값은 3이다.

ㄷ. $d = \sqrt{r^2 + \rho^2}$ 이면 $\sin^2(\theta - \phi) = \dfrac{1}{2}$이다.

ㄹ. $|r-\rho| \le d \le r+\rho$

Ans. ㄱ, ㄴ, ㄹ

18) 극좌표계의 두 곡선 $r = -2\cos\theta$와 $r^2 - 2r\cos\theta = 3$을 직교좌표계의 식으로 바꾸어 얻은 두 곡선은 두 개의 공통접선을 갖는다. 두 공통접선과 y축으로 둘러싸인 영역의 넓이는?

Ans. $3\sqrt{3}$

19) 부등식 $3 - \sin 3\theta \le r \le 2 + \sin 3\theta$를 만족하는 영역은 넓이가 같은 세 개의 부분으로 나뉜다. 이 전체 영역의 넓이의 값은?

Ans. $5\sqrt{3} - \dfrac{5\pi}{3}$

18서강

20) 극좌표로 표현된 곡선 $r = \dfrac{7}{2} + 3\sin\theta - 2\cos^2\theta$ 위에서, 수평인 접선을 갖는 점의 (x, y) 좌표에 해당하는 것은?

① $\left(\dfrac{\sqrt{3}}{2}, -\dfrac{1}{2}\right)$ ② $\left(\dfrac{\sqrt{3}}{4}, -\dfrac{1}{4}\right)$ ③ $\left(-\dfrac{\sqrt{3}}{2}, \dfrac{1}{2}\right)$ ④ $\left(-\dfrac{\sqrt{3}}{4}, \dfrac{1}{4}\right)$ ⑤ $\left(\dfrac{\sqrt{3}}{2}, \dfrac{1}{2}\right)$

Ans. ②

21) 극좌표로 나타낸 곡선 $r = e^{2\theta}$ 위의 점 $(e^{2\pi}, \pi)$에서의 접선의 방정식을 직교좌표계의 식으로 나타낸 것은?

① $y = \dfrac{1}{3}(x + e^{2\pi})$ ② $y = \dfrac{1}{2}(x + e^{2\pi})$ ③ $y = \dfrac{1}{3}(x - e^{2\pi})$ ④ $y = \dfrac{1}{2}(x - e^{2\pi})$

Ans. ②

22) 두 곡선 $r = \cos 2\theta$와 $r = \sin 2\theta$가 극좌표 $\left(\dfrac{\sqrt{2}}{2}, \dfrac{\pi}{8} \right)$에서 만날 때, 두 곡선의 교각을 α라 하자. 이 때 $\tan \alpha$의 값은?

Ans. $\dfrac{4}{3}$

23) 극좌표로 표현된 곡선 $r = 1 - \sin \theta$에서, 원 $r = 1 - \dfrac{\sqrt{3}}{2}$ 안에 있는 부분의 길이는?

① $8 - 2\sqrt{2} - 2\sqrt{6}$
② $9 - 2\sqrt{3} - 2\sqrt{6}$
③ $10 - 3\sqrt{2} - 2\sqrt{6}$
④ $6 - 2\sqrt{2} - \sqrt{6}$
⑤ $10 - 4\sqrt{3} - \sqrt{6}$

Ans. ①

22단국(오전)

24) 극곡선 $r = 1 + \sin\theta$에 대하여 $\theta = \theta_0$일 때의 접선의 기울기가 0인 θ_0의 값을 모두 더하면? (단, $-\pi \le \theta \le \pi$이다.)

① $-\pi$ ② $-\dfrac{\pi}{2}$ ③ $\dfrac{\pi}{2}$ ④ π

$Ans.$ ②

25) 제 1사분면에서 x축과 곡선 $r^2 = \cos 3\theta$에 의해 둘러싸인 영역의 넓이는?

$Ans.$ $\dfrac{1}{6}$

20이대

26) 좌표평면 상에서 극좌표로 기술된 두 곡선 $r = 1 + \sin\theta$ 와 $r = \cos\theta$에 대하여, $r = 1 + \sin\theta$의 내부와 $r = \cos\theta$의 외부로 이루어진 영역의 넓이를 구하시오.

Ans. $\pi + 1$

17세종

27) 극곡선 $\gamma = \theta$ (단, $-\dfrac{3\pi}{2} \leq \theta \leq \dfrac{3\pi}{2}$)의 안쪽 고리의 외부, 바깥쪽 고리의 내부에 있는 영역의 면적을 구하면?

① $\dfrac{73\pi^3}{24}$ ② $\dfrac{19\pi^3}{24}$ ③ $\dfrac{21\pi^3}{24}$ ④ $\dfrac{23\pi^3}{24}$ ⑤ $\dfrac{25\pi^3}{24}$

Ans. ⑤

21인하

28) 극방정식 $r = 2 + 2\sin\theta\cos\theta$로 주어진 곡선으로 둘러싸인 영역의 넓이는?

ⓐ $\dfrac{5}{2}\pi$　　ⓑ 3π　　ⓒ $\dfrac{7}{2}\pi$　　ⓓ 4π　　ⓔ $\dfrac{9}{2}\pi$

Ans. ⓔ

29) 곡선 $r = 7\cos4\theta$의 한잎에 의해 둘러싸인 부분의 넓이?

Ans. $\dfrac{49\pi}{16}$

19이대

30) 그래프 $y = x^2$의 $x = \dfrac{1}{2}$에서의 접선을 m이라 하자. 그림과 같이 직선 $y = \dfrac{3}{2}x - \dfrac{1}{2}$과 l은 직선 m과 같은 각을 이룬다. 직선 l의 방정식을 구하시오.

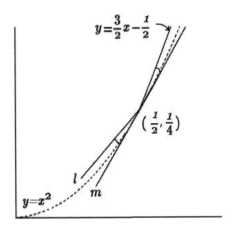

① $y = \dfrac{2}{3}x - \dfrac{1}{12}$ ② $y = x - \dfrac{1}{4}$ ③ $y = \dfrac{1}{2}x$ ④ $y = \dfrac{1}{3}x + \dfrac{1}{12}$

⑤ $y = \dfrac{3}{4}x - \dfrac{1}{8}$

*Ans.*①

31) 곡선 $r = 1 + \cos\theta$는 곡선 $r = 3\cos\theta$에 의해 세 부분으로 나누어진다. 이 때, 가장 긴 부분의 길이는?

*Ans.*4

22숭실

32. 다음 극곡선의 대칭축을 올바르게 고른 것은?

(가) $r = 1 - \cos\theta$, $0 \le \theta \le 2\pi$

(나) $r = \cos 3\theta$, $\dfrac{\pi}{6} \le \theta \le \dfrac{5\pi}{6}$

① (가) x축, (나) x축   ② (가) x축, (나) y축

③ (가) y축, (나) x축   ④ (가) y축, (나) y축

Ans. ①

22숙대

33. 곡선 $r = 3\sin\theta + 4\cos\theta (0 \le \theta \le 2\pi)$의 길이는?

① 9π ② 10π ③ 11π ④ 12π ⑤ 13π

Ans. ②

< 근사식 >

1차(선형)근사식 : $Taylor$급수의 $x = \alpha$에 대하여 x의 1차식까지 전개한 식

$f(x) \approx f(\alpha) + f^{'}(\alpha)(x - \alpha) \Rightarrow$ 접선의 방정식

18과기대

1) 함수 $f(x) = x^6 + x^5 + x^4 + x^3 + x^2 + x + 1$ 의 선형근사식을 이용한 $f(2.01)$의 근삿값은?

① 129.91 ② 130.01 ③ 130.11 ④ 130.21

$Ans.$④

2) 미분을 이용하여 $\sqrt[4]{17}$의 근삿값을 구하면?

$Ans. 65/32$

3) 적분 $\int_0^{0.2} \dfrac{\arctan(x^2)}{x^2}dx$ 를 오차가 $(0.1)^7$ 보다 작도록 계산한 근삿값은?

① 0.2 ② $0.2 - \dfrac{(0.2)^3}{3}$ ③ $0.2 - \dfrac{(0.2)^5}{15}$ ④ $0.2 - \dfrac{(0.2)^3}{3} + \dfrac{(0.2)^5}{15}$ ⑤ $0.1 - \dfrac{(0.1)^3}{3}$

$Ans.$③

18서강

4) 적분 $\int_0^1 \cos(x^2)dx$ 의 값에 가장 가까운 근삿값은?

① $\dfrac{9}{10} - \dfrac{5}{216}$ ② $\dfrac{9}{10} + \dfrac{1}{216}$ ③ $\dfrac{9}{10} + \dfrac{7}{216}$ ④ $\dfrac{9}{10} + \dfrac{12}{216}$ ⑤ $\dfrac{9}{10} + \dfrac{18}{216}$

$Ans.$②

5) 다음과 같은 근사에서 오차를 0.0005보다 작도록 하는 최소의 정수 N은 무엇인가?

$$\sum_{k=0}^{\infty} \frac{(-1)^k}{(2k+1)!} \approx \sum_{k=0}^{N} \frac{(-1)^k}{(2k+1)!}$$

① 2   ② 3   ③ 4   ④ 5

Ans. ①

20성대

6) 다음 보기 중 적분 $\int_0^1 \sqrt{1+x^3}\, dx$ 의 값을 오차 0.01 이내로 근사한 값은?

① $\frac{33}{31}$ ② $\frac{31}{28}$ ③ $\frac{32}{27}$ ④ $\frac{31}{26}$ ⑤ $\frac{33}{27}$

Ans. ②

17아주

7) 실수 전체에서 정의된 함수 $y(x)$가 $y(2)=-1$, $y'(x)=xy^3-1$을 만족한다고 하자. 이 함수의 일차 근사함수를 이용하여 $y(2.2)$의 근삿값을 구하면?

① -1.6　　② -1.5　　③ -1.4　　④ -1.3　　⑤ -1.2

Ans. ①

8) $f(x)=\cos x+\sin x$의 선형근사식을 이용해 $\cos 1+\sin 1$의 값을 구하시오.

$$Ans.\ 1+\frac{(\sqrt{3}-1)}{6}\pi$$

< 뉴턴 근사방법 >

$$x_{n+1} = x_n - \frac{f(x_n)}{f'(x_n)}$$

11성균

1) 미분가능한 함수 f에 대하여 $f(x) = 0$의 근 r을 근사화하기 위하여 초기 근삿값 x_1을 택하여 점 $P_1(x_1, f(x_1))$에서 곡선 $y = f(x)$에 그은 접선이 x축과 만나는 점 x_2을 찾는다. 다음에 x_2을 이용해 세번째 근삿값 x_3을 얻는다. 이와 같은 방법으로 r을 근사화하는 과정이 뉴턴방법이다. $f(x) = x - \sin x$일 때 $x_1 = \frac{\pi}{2}$를 이용하여 뉴턴방법으로 $f(x) = 0$의 두번째 근삿값 x_2을 구하면?

Ans. 1

17과기대

2) 뉴턴의 방법을 이용하여 $x^3 + 3x^2 - 3 = 0$의 근사 해를 구하고자 한다. 첫 번째 근사해 $x_1 = 1$을 선택하였을 때, 두 번째 근사해는 $x_2 = \dfrac{a}{b}$ 이다. 이 때 $a+b$의 값은? (단, a와 b는 서로소이다.)

① 15 ② 16 ③ 17 ④ 18

20과기대

3) 뉴턴의 방법을 이용하여 $\sqrt[3]{3}$의 근사값을 구할 때, $x_1 = 1$이면 x_3의 값은?

$Ans. \dfrac{331}{225}$